Vendredi ou la Vie sauvage

Première de couverture : © Bridgeman Art Library.
Deuxième de couverture : [h] © Leemage/Gusman ; [b] © Kharbine-Tapabor/Coll. Jonas ; © Illustration de Paul Durand © Flammarion.
Troisième de couverture : © Christo et Jeanne-Claude/Wolfgang Voltz.
Page 176 : © Louis Monier/Rue des Archives.

170 bis, boulevard du Montparnasse, 75680 Paris cedex 14

ISBN 978-2-7011-5636-1
ISSN 1958-0541

CLASSICOCOLLÈGE

Vendredi ou la Vie sauvage

MICHEL TOURNIER

Dossier par Audrey Fredon
Certifiée de lettres modernes

BELIN ■ GALLIMARD

Sommaire

Arrêt sur l'œuvre

Groupements de textes

Autour de l'œuvre

Fenêtres sur... 184

Introduction

En 1967, s'inspirant du roman de Daniel Defoe, *Robinson Crusoé* (1719), Michel Tournier publie *Vendredi ou les Limbes du Pacifique*, et reçoit le Grand Prix de l'Académie française pour ce roman.
Quelques années plus tard, il compose une nouvelle version de son texte, un récit d'aventures destiné aux adolescents: *Vendredi ou la Vie sauvage*.
Robinson est un jeune Anglais qui a échoué sur une île déserte à la suite d'un naufrage. En proie à la solitude et au désespoir, il entreprend d'organiser sa vie sur l'île. Tout bascule, le jour où il fait la rencontre d'un Indien...
À la différence de Daniel Defoe, Michel Tournier fait jouer au personnage de Vendredi un rôle essentiel, et nous propose ainsi une réflexion sur les rapports humains et le sens de la liberté.

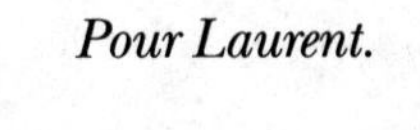

Pour Laurent.

À la fin de l'après-midi du 29 septembre 1759, le ciel noircit tout à coup dans la région de l'archipel Juan Fernández, à six cents kilomètres environ au large des côtes du Chili. L'équipage de *La Virginie* se rassembla sur le pont pour voir les petites flammes qui s'allumaient à l'extrémité des mâts et des vergues[1] du navire. C'était des feux Saint-Elme, un phénomène dû à l'électricité atmosphérique et qui annonce un violent orage. Heureusement, *La Virginie* sur laquelle voyageait Robinson n'avait rien à craindre, même de la plus forte tempête. C'était une galiote[2] hollandaise, un bateau plutôt rond, avec une mâture[3] assez basse, donc lourd et peu rapide, mais d'une stabilité extraordinaire par mauvais temps. Aussi le soir, lorsque le capitaine van Deyssel vit un coup de vent faire éclater l'une des voiles comme un ballon, il ordonna à ses hommes de replier les autres voiles et de s'enfermer avec lui à l'intérieur, en attendant que ça se passe. Le seul danger qui était à craindre, c'était des récifs[4] ou des bancs de sable, mais la carte n'indiquait rien de ce genre, et il semblait que *La Virginie* pouvait fuir sous la tempête pendant des centaines de kilomètres sans rien rencontrer.

---

1. **Vergues** : barres placées en travers du mât et auxquelles sont fixées les voiles d'un navire.
2. **Galiote** : petit navire.
3. **Mâture** : ensemble des mâts d'un navire.
4. **Récifs** : groupes de rochers à fleur d'eau.

Aussi le capitaine et Robinson jouaient-ils aux cartes tranquillement pendant qu'au-dehors l'ouragan se déchaînait. On était au milieu du XVIIIe siècle, alors que beaucoup d'Européens – principalement des Anglais – allaient s'installer en Amérique pour faire fortune. Robinson avait laissé à York[1] sa femme et ses deux enfants, pour explorer l'Amérique du Sud et voir s'il ne pourrait pas organiser des échanges commerciaux fructueux[2] entre sa patrie et le Chili. Quelques semaines plus tôt, *La Virginie* avait contourné le continent américain en passant bravement le terrible cap Horn. Maintenant, elle remontait vers Valparaíso où Robinson voulait débarquer.

– Ne croyez-vous pas que cette tempête va beaucoup retarder notre arrivée au Chili ? demanda-t-il au capitaine en battant les cartes.

Le capitaine le regarda avec un petit sourire ironique en caressant son verre de genièvre, son alcool préféré. Il avait beaucoup plus d'expérience que Robinson et se moquait souvent de son impatience de jeune homme.

– Quand on entreprend un voyage comme celui que vous faites, lui dit-il après avoir tiré une bouffée de sa pipe, on part quand on le veut, mais on arrive quand Dieu le veut.

Puis il déboucha un tonnelet de bois où il gardait son tabac, et il y glissa sa longue pipe de porcelaine.

– Ainsi, expliqua-t-il, elle est à l'abri des chocs et elle s'imprègne de l'odeur mielleuse du tabac.

Il referma son tonnelet à tabac et se laissa aller paresseusement en arrière.

– Voyez-vous, dit-il, l'avantage des tempêtes, c'est qu'elles vous libèrent de tout souci. Contre les éléments déchaînés, il n'y a rien à faire. Alors on ne fait rien. On s'en remet au destin.

---

1. **York** : ville d'Angleterre.
2. **Fructueux** : avantageux, rentables.

50 À ce moment-là, le fanal[1] suspendu à une chaîne qui éclairait la cabine accomplit un violent arc de cercle et éclata contre le plafond. Avant que l'obscurité totale se fasse, Robinson eut encore le temps de voir le capitaine plonger la tête la première par-dessus la table. Robinson se leva et se dirigea vers la porte. Un courant 55 d'air lui apprit qu'il n'y avait plus de porte. Ce qu'il y avait de plus terrifiant après le tangage et le roulis[2] qui duraient depuis plusieurs jours, c'était que le navire ne bougeait plus du tout. Il devait être bloqué sur un banc de sable ou sur des récifs. Dans la vague lueur de la pleine lune balayée par des nuages, Robinson 60 distingua sur le pont un groupe d'hommes qui s'efforçaient de mettre à l'eau un canot de sauvetage. Il se dirigeait vers eux pour les aider, quand un choc formidable ébranla le navire. Aussitôt après, une vague gigantesque croula sur le pont et balaya tout ce qui s'y trouvait, les hommes comme le matériel.

1. **Fanal**: grande lanterne.
2. **Tangage, roulis**: balancement du navire sous l'effet des vagues.

65 Lorsque Robinson reprit connaissance, il était couché, la figure dans le sable. Une vague déferla sur la grève[1] mouillée et vint lui lécher les pieds. Il se laissa rouler sur le dos. Des mouettes noires et blanches tournoyaient dans le ciel redevenu bleu après la tempête. Robinson s'assit avec effort et ressentit une vive douleur
70 à l'épaule gauche. La plage était jonchée de poissons morts, de coquillages brisés et d'algues noires rejetés par les flots. À l'ouest, une falaise rocheuse s'avançait dans la mer et se prolongeait par une chaîne de récifs. C'était là que se dressait la silhouette de *La Virginie* avec ses mâts arrachés et ses cordages flottant dans le vent.
75 Robinson se leva et fit quelques pas. Il n'était pas blessé, mais son épaule contusionnée continuait à lui faire mal. Comme le soleil commençait à brûler, il se fit une sorte de bonnet en roulant de grandes feuilles qui croissaient[2] au bord du rivage. Puis il ramassa une branche pour s'en faire une canne et s'enfonça
80 dans la forêt.

Les troncs des arbres abattus formaient avec les taillis et les lianes qui pendaient des hautes branches un enchevêtrement difficile à percer, et souvent Robinson devait ramper à quatre pattes pour pouvoir avancer. Il n'y avait pas un bruit, et aucun animal ne se
85 montrait. Aussi Robinson fut-il bien étonné en apercevant à une centaine de pas la silhouette d'un bouc sauvage au poil très long

1. **Grève** : rivage.
2. **Croissaient** : poussaient.

qui se dressait immobile, et qui paraissait l'observer. Lâchant sa canne trop légère, Robinson ramassa une grosse souche qui pourrait lui servir de massue. Quand il arriva à proximité du 90 bouc, l'animal baissa la tête et grogna sourdement. Robinson crut qu'il allait foncer sur lui. Il leva sa massue et l'abattit de toutes ses forces entre les cornes du bouc. La bête tomba sur les genoux, puis bascula sur le flanc[1].

Après plusieurs heures de marche laborieuse[2], Robinson arriva 95 au pied d'un massif de rochers entassés en désordre. Il découvrit l'entrée d'une grotte, ombragée par un cèdre géant; mais il n'y fit que quelques pas, parce qu'elle était trop profonde pour pouvoir être explorée ce jour-là. Il préféra escalader les rochers, afin d'embrasser une vaste étendue du regard. C'est ainsi, debout 100 sur le sommet du plus haut rocher, qu'il constata que la mer cernait[3] de tous côtés la terre où il se trouvait et qu'aucune trace d'habitation n'était visible: il était donc sur une île déserte. Il s'expliqua ainsi l'immobilité du bouc qu'il avait assommé. Les animaux sauvages qui n'ont jamais vu l'homme ne fuient pas à 105 son approche. Au contraire, ils l'observent avec curiosité.

Robinson était accablé de tristesse et de fatigue. En errant au pied du grand rocher, il découvrit une espèce d'ananas sauvage qu'il découpa avec son couteau de poche et qu'il mangea. Puis il se glissa sous une pierre et s'endormit.

1. **Sur le flanc**: sur le côté.
2. **Laborieuse**: difficile, fatigante.
3. **Cernait**: entourait.

110 Réveillé par les premiers rayons du soleil levant, Robinson commença à redescendre vers le rivage d'où il était parti la veille. Il sautait de rocher en rocher et de tronc en tronc, de talus en talus et de souche en souche, et il y trouvait un certain plaisir parce qu'il se sentait frais et dispos après une bonne nuit de sommeil. 115 En somme sa situation était loin d'être désespérée. Certes, cette île était apparemment déserte. Mais cela ne valait-il pas mieux que si elle avait été peuplée de cannibales[1] ? En outre elle paraissait assez accueillante avec sa belle plage au nord, des prairies très humides et sans doute marécageuses à l'est, sa grande forêt 120 à l'ouest, et, en son centre, ce massif rocheux que perçait une grotte mystérieuse et qui offrait un point de vue magnifique sur tout l'horizon. Il en était là de ses réflexions quand il aperçut au milieu de la piste, qu'il avait suivie la veille, le cadavre du bouc assommé. Déjà une demi-douzaine de vautours au cou 125 déplumé et au bec crochu se disputaient la charogne. Robinson les dispersa en faisant tournoyer son bâton au-dessus de sa tête, et les gros oiseaux s'envolèrent lourdement l'un après l'autre en courant sur leurs pattes torses pour décoller. Puis il chargea sur ses épaules ce qui restait du bouc, et poursuivit plus lentement sa 130 marche vers la plage. Là, il découpa avec son couteau un quartier de viande et le fit rôtir suspendu à trois bâtons noués en trépied au-dessus d'un feu de bois. La flamme pétillante le réconforta

1. **Cannibales** : hommes se nourrissant de chair humaine.

davantage que la viande coriace et qui sentait le bouc. Il décida d'entretenir toujours ce feu pour économiser son briquet à silex[1]
135 et pour attirer l'attention de l'équipage d'un navire qui croiserait[2] éventuellement au large de l'île. Il est vrai que rien ne pouvait mieux alerter des matelots de passage que l'épave de *La Virginie* toujours plantée sur son récif; d'autant plus qu'elle pouvait donner l'espoir d'un riche butin à ceux qui s'en empareraient.

140 Ces armes, ces outils, ces provisions que contenait la cale du navire, Robinson pensait bien qu'il faudrait qu'il se décide à les sauver avant qu'une nouvelle tempête ne les emporte. Mais il espérait toujours n'en avoir pas besoin, parce que – pensait-il – un navire ne tarderait pas à venir le chercher. Aussi consacrait-il
145 tous ses efforts à installer des signaux sur la plage et sur la falaise. À côté du feu toujours allumé sur la grève, il entassa des fagots de branchages et une quantité de varech[3] grâce auxquels il provoquerait des torrents de fumée si une voile pointait à l'horizon. Ensuite, il eut l'idée d'un mât planté dans le sable, au sommet
150 duquel était posée une perche. L'un des bouts de cette perche touchait au sol. En cas d'alerte, Robinson y fixerait un fagot enflammé, et il le ferait monter haut dans le ciel en tirant avec une liane sur l'autre bout de la perche. Plus tard, il trouva mieux encore : sur la falaise se dressait un grand arbre mort, un euca-
155 lyptus, dont le tronc était creux. Il bourra le tronc de brindilles et de bûchettes qui – enflammées – transformeraient vite tout l'arbre en une immense torche visible à des kilomètres.

Il se nourrissait au hasard de coquillages, de racines de fougères, de noix de coco, de baies, d'œufs d'oiseaux et de tortues.
160 Le troisième jour, il jeta loin de lui la carcasse du bouc qui commençait à sentir. Mais il regretta bientôt ce geste, car les vautours qui s'en régalèrent ne cessèrent plus désormais de le suivre et

---

1. **Silex** : pierre permettant de produire une étincelle.
2. **Croiserait** : passerait.
3. **Varech** : algue.

de l'épier dans l'attente de nouvelles aubaines[1]. Parfois, exaspéré, il les bombardait avec des pierres et des bûches. Alors les
165 sinistres oiseaux s'écartaient paresseusement, mais c'était pour revenir aussitôt.

1. **Aubaines** : occasions.

À la fin, Robinson n'en pouvait plus d'attendre en surveillant l'horizon vide. Il décida d'entreprendre la construction d'un bateau assez important pour rejoindre la côte du Chili. Pour cela, 170 il lui fallait des outils. Il se résigna donc, malgré sa répugnance, à visiter l'épave de *La Virginie* pour en rapporter tout ce qui lui serait utile. Il réunit avec des lianes une douzaine de rondins[1] en une sorte de radeau, instable certes, mais cependant utilisable à condition qu'il n'y ait pas de vagues. Une forte perche 175 lui servit à faire avancer le radeau, car l'eau était peu profonde par marée basse jusqu'aux premiers rochers sur lesquels il put ensuite prendre appui. Il fit ainsi par deux fois le tour de l'épave. Ce qu'on pouvait voir de la coque était intact, et elle devait être plantée sur un récif caché sous l'eau. Si l'équipage était resté à 180 l'abri de l'entrepont, au lieu de s'exposer sur le pont balayé par les lames, tout le monde aurait eu peut-être la vie sauve. Le pont était encombré par un tel enchevêtrement de mâts rompus, de vergues et de câbles emmêlés qu'il était difficile de se frayer un passage. Le même désordre régnait dans les soutes, mais l'eau 185 n'y avait pas pénétré, et Robinson trouva dans des coffres des provisions de biscuits et de viande séchée dont il mangea ce qu'il put en l'absence de boisson. Certes il y avait aussi des bonbonnes de vin et d'alcool, mais Robinson était abstinent, il n'avait jamais goûté à une boisson alcoolisée, et il entendait bien se tenir à cette

1. **Rondins** : troncs d'arbres.

190 résolution. La grande surprise de la journée fut la découverte dans la partie arrière de la cale de quarante tonneaux de poudre noire, une marchandise dont le capitaine ne lui avait pas soufflé mot, de peur sans doute de l'inquiéter.

Il fallut à Robinson plusieurs jours pour transporter sur son 195 radeau et mener jusqu'à terre tout cet explosif, car il était interrompu la moitié du temps par la marée haute qui l'empêchait de manœuvrer à la perche. Il en profitait alors pour mettre les tonneaux à l'abri du soleil et de la pluie sous une couverture de palmes immobilisées par des pierres. Il rapporta également de 200 l'épave deux caisses de biscuits, une longue-vue[1], deux mousquets[2] à silex, un pistolet à double canon, deux haches, une bêche, une pioche, un marteau, un ballot d'étoupe[3] et une vaste pièce d'étamine rouge, étoffe de peu de prix destinée à d'éventuels échanges avec des indigènes. Il retrouva dans la cabine du capi-205 taine le fameux tonnelet à tabac bien fermé, et, à l'intérieur, la grande pipe de porcelaine, intacte malgré sa fragilité. Il chargea aussi sur son radeau une grande quantité de planches arrachées au pont et aux cloisons du navire. Enfin il trouva dans la cabine du second une Bible en bon état qu'il emporta enveloppée dans 210 un lambeau de voile pour la protéger.

Dès le lendemain, il entreprit la construction d'une embarcation qu'il baptisa par anticipation *L'Évasion.*

---

1. **Longue-vue** : instrument d'optique servant à voir de près ce qui est éloigné, sorte de télescope.
2. **Mousquets** : armes à feu.
3. **Ballot d'étoupe** : sac en toile contenant des résidus de vieux cordages.

Dans une clairière parfaitement plane, Robinson mit à jour sous les herbes un beau tronc de myrte[1] sec, sain et de belle venue
215 qui pourrait faire la pièce maîtresse de son futur bateau. Il se mit aussitôt au travail, non sans continuer à surveiller l'horizon qu'il pouvait voir de son chantier, car il espérait toujours la survenue d'un navire. Après avoir ébranché[2] le tronc, il l'attaqua à la hache pour lui donner le profil d'une poutre rectangulaire. Malgré
220 toutes ses recherches dans *La Virginie*, il n'avait pu trouver ni clous, ni vis, ni vilebrequin[3], ni même une scie. Il travaillait lentement, soigneusement, assemblant les pièces du bateau comme celles d'un puzzle. Il escomptait[4] que l'eau en faisant gonfler le bois donnerait à la coque une solidité et une étanchéité supplé-
225 mentaires. Il eut même l'idée de durcir à la flamme l'extrémité des pièces, puis de les arroser après l'assemblage pour mieux les souder dans leur logement. Cent fois le bois se fendit sous l'action soit de l'eau, soit de la flamme, mais il recommençait toujours sans ressentir ni fatigue ni impatience.

230 Dans ces travaux c'était le manque d'une scie dont Robinson souffrait le plus. Cet outil – impossible à fabriquer avec des moyens de fortune – lui aurait épargné des mois de travail à la hache et au couteau. Un matin, il crut rêver encore en entendant à son

1. **Myrte** : arbuste.
2. **Ébranché** : débarrassé des branches.
3. **Vilebrequin** : outil permettant de percer des trous.
4. **Escomptait** : espérait, prévoyait.

réveil un bruit qui ne pouvait être que celui d'un scieur en action. 235 Parfois le bruit s'interrompait, comme si le scieur changeait de bûche, puis il reprenait avec une régularité monotone. Robinson sortit doucement du trou de rocher où il avait l'habitude de dormir, et il avança à pas de loup vers l'endroit d'où provenait le bruit. D'abord il ne vit rien, mais il finit par découvrir au pied 240 d'un palmier un crabe gigantesque qui sciait avec ses pinces une noix de coco serrée dans ses pattes. Dans les branches de l'arbre, à six mètres de haut, un autre crabe cisaillait la queue des noix pour les faire tomber. Les deux crabes ne parurent pas du tout gênés par l'arrivée de Robinson et ils poursuivirent tranquille- 245 ment leur bruyant travail.

Faute de vernis ou même de goudron pour enduire la coque, Robinson entreprit de fabriquer de la glu. Il dut pour cela raser presque entièrement un petit bois de houx qu'il avait repéré dès le début de son travail. Pendant quarante-cinq jours, il débarrassa 250 les arbustes de leur première écorce, et recueillit l'écorce intérieure en la découpant en lanières. Puis il fit longtemps bouillir dans un chaudron ces lanières d'écorce, et il les vit peu à peu se décomposer en un liquide épais et visqueux. Il répandit ce liquide encore brûlant sur la coque du bateau.

255 *L'Évasion* était terminée. Robinson commença à rassembler les provisions qu'il embarquerait avec lui. Mais il abandonna bientôt cette besogne en songeant qu'il convenait d'abord de mettre à l'eau sa nouvelle embarcation pour voir comment elle se comporterait. En vérité il avait très peur de cette épreuve qui 260 allait décider de son avenir. *L'Évasion* allait-elle bien tenir la mer ? Serait-elle assez étanche ? N'allait-elle pas chavirer sous l'effet de la première vague ? Dans ses pires cauchemars, elle coulait à pic à peine avait-elle touché l'eau, et Robinson la voyait s'enfoncer comme une pierre dans des profondeurs vertes…

265 Enfin il se décida à procéder au lancement de *L'Évasion.* Il constata d'abord qu'il était incapable de traîner sur l'herbe et sur le sable jusqu'à la mer cette coque qui devait bien peser cinq cents

kilos. À vrai dire, il avait complètement négligé ce problème du transport du bateau jusqu'au rivage. C'était en partie parce qu'il 270 avait trop lu la Bible, et surtout les pages concernant l'Arche de Noé[1]. Construite loin de la mer, l'arche n'avait eu qu'à attendre que l'eau vînt à elle sous forme de pluie et de ruissellements du haut des montagnes. Robinson avait commis une erreur fatale en ne construisant pas *L'Évasion* directement sur la plage.

275 Il essaya de glisser des rondins sous la quille[2] pour la faire rouler. Rien ne bougeait, et il parvint tout juste à défoncer l'une des planches de la coque en pesant sur elle avec un pieu qui basculait en levier sur une bûche. Au bout de trois jours d'efforts inutiles, la fatigue et la colère lui brouillaient les yeux. Il 280 songea alors à creuser depuis la mer une tranchée dans la falaise jusqu'à l'emplacement du bateau. Celui-ci pourrait glisser dans cette tranchée et se retrouver ainsi au niveau du rivage. Il se jeta au travail. Puis il calcula qu'il lui faudrait des dizaines d'années de travaux de terrassement pour réaliser ce projet. Il renonça.

---

1. Dans un épisode de l'Ancien Testament (Genèse), Noé a construit un navire afin d'échapper au déluge que Dieu a provoqué pour punir les hommes de leurs péchés.
2. Quille : pièce de bois située sous un bateau, lui permettant de garder l'équilibre et soutenant sa charpente.

Pendant les heures les plus chaudes de l'été, les sangliers et leurs cousins d'Amérique du Sud, les pécaris, ont l'habitude de s'enfouir le corps dans certains marécages de la forêt. Ils battent l'eau du marécage avec leurs pattes jusqu'à ce qu'elle forme une sorte de boue très liquide, puis ils s'y enfoncent en ne laissant passer que leur tête, et se trouvent ainsi à l'abri de la chaleur et des moustiques.

Découragé par l'échec de *L'Évasion*, Robinson avait eu l'occasion de suivre un jour un troupeau de pécaris qu'il avait vus s'enfouir ainsi dans leur souille. Il était si triste et si fatigué qu'il avait eu envie de faire comme ces animaux. Il avait enlevé ses vêtements, et il s'était laissé glisser dans la boue fraîche, en ne laissant passer à la surface que son nez, ses yeux et sa bouche. Il passait des journées entières, couché ainsi au milieu des lentilles d'eau, des nénuphars et des œufs de grenouilles. Les gaz qui se dégageaient de l'eau croupie[1] lui troublaient l'esprit. Parfois il se croyait encore dans sa famille à York, il entendait les voix de sa femme et de ses enfants. Ou bien il s'imaginait être un petit bébé dans un berceau, et il prenait les arbres que le vent agitait au-dessus de sa tête pour des grandes personnes penchées sur lui.

Quand il s'arrachait le soir à la boue tiède, la tête lui tournait. Il ne pouvait plus marcher qu'à quatre pattes, et il mangeait

1. **Croupie** : stagnante, pourrissante.

n'importe quoi le nez au sol, comme un cochon. Il ne se lavait jamais, et une croûte de terre et de crasse séchées le couvrait des pieds à la tête.

Un jour qu'il broutait une touffe de cresson dans une mare, il crut entendre de la musique. C'était comme une symphonie du ciel, des voix d'anges accompagnées par des accords de harpe. Robinson pensa qu'il était mort et qu'il entendait la musique du paradis. Mais en levant les yeux, il vit pointer une voile blanche à l'est de l'horizon. Il se précipita jusqu'au chantier de *L'Évasion* où traînaient ses outils et où il retrouva son briquet. Puis il courut vers l'eucalyptus creux, enflamma un fagot de branches sèches, et le poussa dans la gueule qu'ouvrait le tronc au ras du sol. Un torrent de fumée âcre en sortit aussitôt, mais le feu parut tarder à prendre.

D'ailleurs à quoi bon? Le navire se dirigeait droit sur l'île. Bientôt il allait jeter l'ancre à proximité de la plage, et une chaloupe[1] allait s'en détacher. Avec des rires de fou, Robinson courait en tous sens à la recherche d'un pantalon et d'une chemise qu'il finit par retrouver sous la coque de *L'Évasion*. Puis il courut vers la plage, tout en se griffant le visage pour démêler la barbe et les cheveux qui lui faisaient un masque de bête. Le navire était tout près maintenant, et Robinson le voyait distinctement incliner gracieusement toute sa voilure vers les vagues crêtées d'écume. C'était un de ces galions[2] espagnols qui rapportaient autrefois, à travers l'Océan, l'or, l'argent et les gemmes[3] du Mexique. À mesure qu'il approchait, Robinson distinguait une foule brillante sur le pont. Une fête paraissait se dérouler à bord. La musique provenait d'un petit orchestre et d'un chœur d'enfants en robes blanches groupés sur le gaillard d'arrière[4]. Des couples dansaient noblement autour d'une table chargée de vaisselle d'or

1. **Chaloupe**: canot, barque.
2. **Galions**: grands navires à voiles.
3. **Gemmes**: pierres précieuses.
4. **Gaillard d'arrière**: partie située à l'arrière du pont supérieur d'un bateau.

et de cristal. Personne ne paraissait voir le naufragé, ni même le rivage que le navire longeait maintenant après avoir viré de 340 bord. Robinson le suivait en courant sur la plage. Il hurlait, agitait les bras, s'arrêtait pour ramasser des galets qu'il lançait dans sa direction. Il tomba, se releva, tomba encore. Le galion arrivait maintenant au bout de la plage où commençait une région de dunes de sable. Robinson se jeta à l'eau et nagea de toutes ses 345 forces vers le navire dont il ne voyait plus que le château arrière[1] drapé de brocart[2]. À l'une des fenêtres pratiquées dans l'encorbellement[3], une jeune fille était accoudée et souriait tristement vers lui. Robinson connaissait cette enfant, il en était sûr. Mais qui, qui était-ce ? Il ouvrit la bouche pour l'appeler. L'eau salée 350 envahit sa gorge. Ses yeux ne virent plus que de l'eau verte où fuyait une petite raie à reculons…

Une colonne de flamme le tira de son évanouissement. Comme il avait froid ! Là-haut, sur la falaise, l'eucalyptus flambait comme une torche dans la nuit. Robinson se dirigea en titubant vers 355 cette source de lumière et de chaleur.

Il passa le reste de la nuit recroquevillé dans les herbes, le visage tourné vers le tronc incandescent[4], et il se rapprochait du foyer à mesure que sa chaleur diminuait. Vers les premières heures de l'aube, il parvint enfin à identifier la jeune fille du 360 galion. C'était sa propre sœur, Lucy, morte plusieurs années avant son départ. Ainsi ce bateau, ce galion – type de navire qui avait d'ailleurs disparu des mers depuis plus de deux siècles – *n'existait pas.* C'était une hallucination, un produit de son cerveau malade.

365 Robinson comprit enfin que les bains dans la souille et toute cette vie paresseuse qu'il menait étaient en train de le rendre

1. **Château arrière** : construction élevée sur l'arrière du pont supérieur d'un navire.
2. **Brocart** : tissu de soie brodé de fils d'or ou d'argent.
3. **Encorbellement** : balcon avançant au-dessus de la mer.
4. **Incandescent** : enflammé.

fou. Le galion imaginaire était un sérieux avertissement. Il fallait se ressaisir, travailler, prendre son propre destin en main.

Il tourna le dos à la mer qui lui avait fait tant de mal en le 370 fascinant depuis son arrivée sur l'île, et il se dirigea vers la forêt et le massif rocheux.

Arrêt sur lecture 1

Un quiz pour commencer

Cochez les bonnes réponses.

❶ *À quelle époque l'action du roman se déroule-t-elle ?*

- ❒ Au XVIIe siècle.
- ❒ Au XVIIIe siècle.
- ❒ Au XIXe siècle.

❷ *Quelle est la nationalité de Robinson ?*

- ❒ Hollandaise.
- ❒ Américaine.
- ❒ Anglaise.

❸ *Pourquoi Robinson se trouve-t-il à bord de* La Virginie *?*

- ❒ Parce qu'il part en vacances.
- ❒ Parce qu'il se rend en Amérique du Sud pour faire du commerce.
- ❒ Parce qu'il va au Chili rejoindre sa famille.

❹ ***Qu'est-ce qui provoque le naufrage de* La Virginie *?***

- ❒ Une tempête.
- ❒ Un iceberg.
- ❒ Un trou dans la coque du bateau.

❺ ***Quel est le premier être vivant que Robinson rencontre sur l'île ?***

- ❒ Un autre rescapé du naufrage.
- ❒ Un vautour.
- ❒ Un bouc.

❻ ***Que décide de faire Robinson pour quitter l'île ?***

- ❒ De partir à la nage.
- ❒ De réparer *La Virginie*.
- ❒ De construire un bateau.

❼ ***Quand il visite l'épave de* La Virginie*, que découvre Robinson ?***

- ❒ Des tonneaux de poudre à canon.
- ❒ Des coffres remplis d'or.
- ❒ Le journal intime du capitaine van Deyssel.

❽ ***Pourquoi Robinson ne peut-il pas utiliser* L'Évasion *?***

- ❒ Parce que l'embarcation est trop lourde et qu'elle se trouve à une distance trop éloignée du rivage.
- ❒ Parce qu'elle est en très mauvais état.
- ❒ Parce qu'elle coule dès qu'elle est à l'eau.

❾ ***Quand Robinson comprend qu'il ne peut pas utiliser* L'Évasion*, comment manifeste-t-il son découragement ?***

- ❒ Il prend des bains de boue toute la journée.
- ❒ Il passe son temps à dormir.
- ❒ Il ne cesse d'observer la mer.

Des questions pour aller plus loin

☛ Découvrir le début d'un roman d'aventures

Le naufrage de *La Virginie*

❶ En quoi le naufrage de *La Virginie* est-il un événement inattendu ? Appuyez votre réponse sur des indices précis des pages 11 et 12.
❷ De la ligne 50 à la ligne 64 (p. 13), relevez les adjectifs exprimant la force de la tempête.
❸ Quels sont les deux temps verbaux principalement utilisés dans le dernier paragraphe du premier chapitre (p. 13) ? Lequel emploie-t-on pour les actions de premier plan ?

L'arrivée sur l'île

❹ Après son arrivée sur l'île, que cherche à faire Robinson ?
❺ Dans les lignes 70 à 105 (p. 14-15), relevez les mots et les expressions montrant que Robinson a échoué sur une île déserte.
❻ À quelles souffrances physiques et psychologiques Robinson doit-il faire face dans le deuxième chapitre (p. 14-15) ? Appuyez votre réponse sur quelques citations.
❼ En quoi la nature est-elle bienveillante et généreuse avec le naufragé ?
❽ Quels éléments naturels peuvent nuire à Robinson ? Pourquoi ? Appuyez votre réponse sur des passages précis du texte.

Robinson, le héros du roman

❾ Dans les pages 16 à 23, donnez trois exemples de l'ingéniosité et de l'habileté de Robinson.

⑩ Quelles qualités de Robinson sont mises en avant lors de la construction de *L'Évasion* ? Relevez, dans le premier paragraphe de la page 21, deux adverbes pour appuyer votre réponse.
⑪ Quels sont les différents états d'esprit de Robinson dans cette première partie du récit ?
⑫ Comment Robinson explique-t-il l'échec de *L'Évasion* ? De quel défaut fait-il preuve ?
⑬ Pourquoi Robinson se comporte-t-il comme un animal dans le sixième chapitre (p. 24-27) ? Dans les lignes 306 à 310, relevez une comparaison qui le prouve.
⑭ Dans le deuxième paragraphe du sixième chapitre (p. 24), relevez les expressions laissant penser que Robinson est gagné par la folie. À la fin du chapitre, voit-il réellement sa sœur ?

Rappelez-vous !
Comme dans le roman de Daniel Defoe, le Robinson de Michel Tournier est le seul survivant d'un naufrage. Le héros se retrouve sur une île déserte où la nature est aussi bienveillante que dangereuse. Malgré son ingéniosité, Robinson ne parvient pas à quitter l'île sur laquelle il a échoué.

De la lecture à l'écriture

Des mots pour mieux écrire

❶ ***Complétez chacune des phrases suivantes avec l'adjectif qui convient, et accordez-le si nécessaire :*** courageux, impulsif, persévérant, patient, susceptible, naïf.

a. Les capitaines se vexent facilement si l'on critique leur embarcation : ils sont ______________ sur ce sujet.
b. En affrontant le bouc, Robinson a mis sa peur de côté et a été très ______________.
c. Les vautours peuvent attendre pendant des heures qu'une proie leur soit abandonnée : ils sont très ______________.
d. En construisant son bateau, Robinson a pris sa décision rapidement, sans réfléchir aux conséquences : il s'est montré ______________.
e. Les personnes s'imaginant qu'une traversée en mer en pleine tempête ne comporte aucun danger sont bien ______________.
f. Les crabes, très ______________, ne relâchent jamais leurs efforts, jusqu'à ce qu'ils aient fini de scier leur noix de coco.

❷ a. ***Donnez un mot de la famille de chacun des verbes suivants :*** déchaîner, rugir, apaiser, faiblir, éclater, rompre, balayer.
b. ***Parmi cette liste, choisissez quatre verbes et écrivez pour chacun d'eux une phrase qui en éclairera le sens.***

À vous d'écrire

❶ Imaginez que vous vous réveilliez, comme Robinson, sur une plage et que vous exploriez peu à peu les lieux qui vous entourent. Donnez les différentes étapes de votre découverte en insistant sur vos sentiments et sur vos sensations.
Consigne. Votre récit sera mené à la première personne, au passé, et fera une vingtaine de lignes.

❷ Vous êtes journaliste et vous écrivez un article sur une tempête ayant causé la disparition d'un navire et de son équipage. Aidez-vous de l'exercice ci-dessus pour décrire les différentes phases de la tempête.
Consigne. Soyez précis dans les détails que vous donnerez sur le lieu et le moment de la catastrophe, ainsi que sur les personnes disparues et leur présence en mer. Soignez la présentation de votre article : titre, disposition du texte en colonnes et illustrations.

Du texte à l'image

➡ Pat Culler, *Costa Rica*, 1994.
(Image reproduite en couverture.)

Lire l'image

❶ Décrivez le paysage plan par plan.
❷ Où se situe celui qui voit la scène ? Comment appelle-t-on cet angle de vue ?
❸ À quoi voit-on que le paysage est exotique ?

 *Comparer le texte et l'image*

❹ Retrouvez le passage où Robinson surplombe l'ensemble de l'île. Comparez la description de l'île à ce tableau.

❺ Ajoutez trois phrases à la description du texte pour la rendre plus proche de cette image. Utilisez des adjectifs de couleur.

À vous de créer

❻ Dessinez une carte de l'île de Robinson en y plaçant les éléments suivants : l'épave de *La Virginie*, la plage où Robinson s'est échoué, le massif rocheux et la grotte, les marécages, les prairies et le lieu où a été construite *L'Évasion*.

❼ En vous aidant d'un moteur de recherche, trouvez un tableau de l'un des artistes suivants pouvant illustrer un épisode du récit de Michel Tournier : Théodore Géricault, William Turner, le Douanier Rousseau. Justifiez votre choix en une dizaine de lignes.

Durant les semaines qui suivirent, Robinson explora l'île méthodiquement et tâcha de repérer les sources et les abris naturels, les meilleurs emplacements pour la pêche, les coins à noix de coco, à ananas et à choux palmistes. Il établit son dépôt général dans la grotte qui s'ouvrait dans le massif rocheux du centre de l'île. Il y transporta tout ce qu'il put arracher à l'épave qui avait résisté par chance aux tempêtes des mois précédents. Après avoir entreposé les quarante tonneaux de poudre noire au plus profond de la grotte, il y rangea trois coffres de vêtements, cinq sacs de céréales, deux corbeilles de vaisselle et d'argenterie, plusieurs caisses d'objets hétéroclites[1] – chandeliers, éperons, bijoux, loupes, lunettes, canifs, cartes marines, miroirs, dés à jouer – une malle de matériel de navigation, câbles, poulies, fanaux, lignes, flotteurs, etc., enfin un coffret de pièces d'or et de monnaies d'argent et de cuivre. Les livres qu'il trouva dans les cabines de l'épave avaient tellement été lavés par l'eau de mer et la pluie que le texte imprimé en était effacé, mais Robinson pensa qu'en faisant sécher ces pages blanches au soleil, il pourrait les utiliser pour écrire son journal, à condition de trouver un liquide pouvant tenir lieu d'encre.

Ce liquide lui fut fourni par un poisson qui pullulait[2] alors près de la falaise du Levant, le diodon, ou poisson-hérisson. C'est un

1. **Hétéroclites** : divers.
2. **Pullulait** : se trouvait en grand nombre.

animal redoutable avec sa mâchoire puissante et les piquants venimeux qui hérissent son corps. En cas de danger, il se gonfle d'air et devient rond comme une boule, et, comme tout cet air est accumulé dans son ventre, il flotte alors sur le dos, sans paraître gêné par cette posture. En remuant avec un bâton l'un de ces poissons échoués sur le sable, Robinson avait remarqué que tout ce qui entrait en contact avec son ventre prenait une couleur rouge tenace et voyante qui pourrait lui tenir lieu d'encre. Il se hâta de tailler une plume de vautour, et il put sans attendre tracer ses premiers mots sur une feuille de papier. Il décida alors d'écrire chaque jour dans le livre le plus gros les faits principaux qui lui seraient arrivés. Sur la première page du livre, il dressa la carte géographique de l'île et il inscrivit au-dessous le nom qu'il venait de lui donner : Speranza, ce qui veut dire l'*espérance*, car il était décidé à ne plus jamais se laisser aller au désespoir.

Parmi les animaux de l'île, les plus utiles seraient à coup sûr les chèvres et les chevreaux qui s'y trouvaient en grand nombre, pourvu qu'il parvienne à les domestiquer. Or si les chevrettes se laissaient assez facilement approcher, elles se défendaient farouchement dès qu'il tentait de les traire. Il construisit donc un enclos en liant horizontalement des perches sur des piquets qu'il habilla ensuite de lianes entrelacées. Il y enferma des chevreaux très jeunes qui y attirèrent leurs mères par leurs cris. Robinson libéra ensuite les petits et attendit plusieurs jours. Alors les pis gonflés de lait commencèrent à faire souffrir les chèvres qui se laissèrent traire avec empressement.

L'examen des sacs de riz, de blé, d'orge et de maïs qu'il avait sauvés de l'épave de *La Virginie* réserva à Robinson une lourde déception. Les souris et les charançons[1] en avaient dévoré une partie dont il ne restait plus que de la balle[2] mélangée à des crottes. Une autre partie était gâtée par l'eau de pluie et de mer. Il fallut

---

1. **Charançons** : insectes nuisibles.
2. **Balle** : enveloppe des graines de céréales.

425 trier chaque céréale grain par grain, un travail de patience long et fatigant. Mais Robinson put ensemencer quelques acres[1] de prairie qu'il avait auparavant brûlées et ensuite labourées avec une plaque de métal provenant de *La Virginie* et dans laquelle il avait pu percer un trou assez large pour y introduire un manche.

430 Ainsi Robinson en créant un troupeau domestique et un champ cultivé avait commencé à civiliser son île, mais ce n'était encore qu'une œuvre fragile et limitée, et il avait souvent la révélation que l'île restait une terre sauvage et hostile. C'est ainsi qu'un matin il surprit un vampire accroupi sur un chevreau qu'il était 435 en train de vider de son sang. Les vampires sont des chauves-souris géantes pouvant atteindre jusqu'à soixante-quinze centimètres d'envergure qui s'abattent doucement la nuit sur le dos des bêtes endormies et sucent leur sang. Une autre fois alors qu'il cueillait des coquillages sur des rochers à moitié recouverts d'eau, 440 Robinson reçut un jet d'eau en pleine figure. Un peu étourdi par le choc, il fit quelques pas, mais fut arrêté par un second jet qui l'atteignit encore au visage. Il finit par découvrir dans un trou de rocher une petite pieuvre grise qui avait l'étonnante faculté d'envoyer par sa bouche des projections d'eau avec une 445 extraordinaire précision.

Un jour qu'il avait cassé sa bêche et laissé échapper sa meilleure chèvre laitière, Robinson céda au découragement. Il reprit le chemin de la souille. Là il ôta ses vêtements et se laissa glisser dans la boue tiède. Aussitôt les vapeurs empoisonnées de l'eau 450 croupie où tournoyaient des nuages de moustiques l'enveloppèrent et lui firent perdre la notion du temps. Il oublia l'île avec ses vautours, ses vampires et ses pieuvres. Il se croyait redevenu un tout petit enfant chez son père qui était drapier à York ; il croyait entendre les voix de ses parents et de ses frères et sœurs. 455 Il comprit ainsi que le danger de la paresse, du découragement

1. **Acres** : ancienne unité de mesure agricole (1 acre = environ 4 kilomètres carrés).

et du désespoir le menaçait toujours, et qu'il devait travailler sans relâche pour y échapper.

Le maïs dépérit complètement, et les pièces de terre où Robinson l'avait semé furent à nouveau envahies par les chardons et
460 les orties. Mais l'orge et le blé prospéraient, et il éprouvait la première joie que lui eût donnée Speranza en caressant de la main les jeunes tiges souples et tendres. Lorsque fut venu le temps de la moisson, il chercha ce qui pourrait lui tenir lieu de faucille ou de faux et ne trouva finalement qu'un vieux sabre d'abordage qui
465 décorait la cabine du commandant et qu'il avait rapporté avec les autres épaves. Il voulut d'abord procéder méthodiquement, pas à pas, comme il avait vu faire les paysans de la campagne chez lui. Mais à manier cette arme héroïque, il fut pris par une sorte d'ardeur belliqueuse[1], et il avança en la faisant tournoyer
470 au-dessus de sa tête et en poussant des rugissements furieux. Peu d'épis furent gâtés par ce traitement, mais la paille, hachée, dispersée, piétinée était inutilisable.

Ayant égrené[2] ses épis en les battant au fléau[3] dans une voile pliée en deux, il vanna[4] son grain en le faisant couler d'une
475 corbeille dans une autre, en plein air, un jour de vent vif qui faisait voltiger au loin la balle et les menus déchets. À la fin il constata avec fierté que sa récolte se montait à trente gallons[5] de blé et à vingt gallons d'orge. Il avait préparé pour moudre son grain un mortier et un pilon – un tronc d'arbre évidé et une
480 forte branche à l'extrémité arrondie – et le four était garni pour la première cuisson. C'est alors qu'il prit soudain la décision de ne pas faire encore de pain et de consacrer toute sa récolte au prochain ensemencement de ses terres. En se privant ainsi de pain, il croyait accomplir un acte méritoire et raisonnable. En

1. **Belliqueuse** : batailleuse, guerrière.
2. **Égrené** : débarrassé de ses grains.
3. **Fléau** : outil composé de deux bâtons servant à séparer le grain de la paille.
4. **Vanna** : secoua le grain pour en éliminer les impuretés.
5. **Gallons** : unité de mesure (1 gallon = environ 4,5 litres).

485 réalité, il obéissait à un nouveau penchant, l'*avarice*[1], qui allait lui faire beaucoup de mal.

C'est peu après cette première récolte que Robinson eut la très grande joie de retrouver Tenn, le chien de *La Virginie*. L'animal jaillit d'un buisson en gémissant et en tordant l'échine[2], faisant 490 ainsi une vraie fête à ce maître d'autrefois. Robinson ne sut jamais comment le chien avait passé tout ce temps dans l'île, ni pourquoi il n'était pas venu plus tôt à lui. La présence de ce compagnon le décida à mettre à exécution un projet qu'il avait depuis longtemps : se construire une vraie maison, et ne plus continuer à 495 dormir dans un coin de la grotte ou au pied d'un arbre. Il situa sa maison près du grand cèdre au centre de l'île. Il creusa d'abord un fossé rectangulaire qu'il meubla d'un lit de galets recouverts eux-mêmes d'une couche de sable blanc. Sur ces fondements parfaitement secs et perméables, il éleva des murs en mettant 500 l'un sur l'autre des troncs de palmiers. La toiture se composa d'une vannerie[3] de roseaux sur laquelle il disposa ensuite des feuilles de figuier-caoutchouc en écailles, comme des ardoises. Il revêtit la surface extérieure des murs d'un mortier[4] d'argile. Un dallage de pierres plates et irrégulières, assemblées comme 505 les pièces d'un puzzle, recouvrit le sol sablonneux. Des peaux de biques et des nattes de jonc[5], quelques meubles en osier, la vaisselle et les fanaux sauvés de *La Virginie*, la longue-vue, le sabre et l'un des fusils suspendus au mur créèrent une atmosphère confortable et intime que Robinson n'avait plus connue depuis 510 longtemps. Il prit même l'habitude, ayant déballé les vêtements contenus dans les coffres de *La Virginie* – et certains étaient fort beaux ! – de s'habiller chaque soir pour dîner, avec habit, haut-de-chausses[6], chapeau, bas et souliers.

---

1. **Avarice** : attachement excessif aux richesses.
2. **Échine** : dos.
3. **Vannerie** : tressage.
4. **Mortier** : mélange utilisé comme ciment.
5. **Jonc** : plante dont les tiges sont hautes, droites et souples.
6. **Haut-de-chausses** : pantalon bouffant s'arrêtant au genou.

Il remarqua plus tard que le soleil n'était visible de l'intérieur de
515 la villa qu'à certaines heures du jour et qu'il serait plus pratique pour savoir l'heure de fabriquer une sorte d'horloge qui fonctionnerait jour et nuit à l'intérieur de la maison. Après quelques tâtonnements, il confectionna une sorte de *clepsydre*, c'est-à-dire une horloge à eau, comme on en avait autrefois. C'était simplement
520 une bonbonne de verre transparent dont il avait percé le fond d'un tout petit trou par où l'eau fuyait goutte à goutte dans un bac de cuivre posé sur le sol. La bonbonne mettait vingt-quatre heures à se vider dans le bac, et Robinson avait strié ses flancs de vingt-quatre cercles parallèles marqués chacun d'un chiffre.
525 Ainsi le niveau du liquide donnait l'heure à tout moment. Il lui fallait aussi un calendrier qui lui donnât le jour de la semaine, le mois de l'année et le nombre d'années passées. Il ne savait absolument pas depuis combien de temps il se trouvait dans l'île. Un an, deux ans, plus peut-être ? Il décida de repartir à zéro. Il
530 dressa devant sa maison un mât-calendrier. C'était un tronc écorcé sur lequel il faisait chaque jour une petite encoche, chaque mois une encoche plus profonde, et le douzième mois, il marquerait d'un grand l la première année de son calendrier local.

La vie suivait son cours, mais Robinson éprouvait de plus en
535 plus le besoin de mieux organiser son emploi du temps. Il avait toujours peur de retomber dans la souille, et peut-être de devenir comme une bête. C'est très difficile de rester un homme quand personne n'est là pour vous y aider ! Contre cette mauvaise pente, il ne connaissait comme remèdes que le travail, la discipline et
540 l'exploitation de toutes les ressources de l'île.

Lorsque son calendrier eut mille jours inscrits, il décida de donner des lois à l'île de Speranza. Il revêtit un costume de cérémonie, il se plaça devant un pupitre qu'il avait imaginé et fabriqué pour pouvoir écrire debout, puis ouvrant l'un des plus
545 beaux livres lavés qu'il avait trouvés dans *La Virginie*, il écrivit :

CHARTE DE L'ÎLE DE SPERANZA
COMMENCÉE LE 1000e JOUR DU CALENDRIER LOCAL

Article 1er : Robinson Crusoé, né à York, le 19 décembre 1737, est nommé gouverneur de l'île de Speranza, située dans l'océan Paci-
550 fique, entre les îles Juan Fernández et la côte orientale du Chili. En cette qualité il a tous pouvoirs pour légiférer[1] sur l'ensemble du territoire insulaire et de ses eaux territoriales[2].

---

1. Légiférer : faire des lois.
2. Territoire insulaire, eaux territoriales : une île et l'eau qui l'entoure jusqu'à la haute mer.

Article 2 : Les habitants de l'île sont tenus de penser à haute voix.
(En effet, parce qu'il n'avait personne à qui parler, Robinson
555 craignait de perdre l'usage de la parole. Déjà il éprouvait quand
il voulait parler un embarras de la langue, comme s'il avait bu
un peu trop de vin. Désormais il avait l'obligation de parler sans
arrêt, aux arbres, aux pierres, aux nuages, mais bien entendu
aussi aux chèvres et à Tenn.)

560 *Article 3*: Le vendredi est jeûné[1].

Article 4: Le dimanche est chômé. À dix-neuf heures, le samedi,
tout travail doit cesser dans l'île, et les habitants doivent revêtir
leurs meilleurs vêtements pour le dîner. Le dimanche matin à
dix heures, ils se réuniront dans le temple pour la prière. (Dans
565 ces lois, Robinson ne pouvait pas s'empêcher de faire comme
si l'île avait de nombreux habitants. En effet, il lui paraissait
absurde de faire des lois pour un homme seul. Et puis il se disait
que peut-être, un jour, le hasard lui amènerait un ou plusieurs
compagnons…)

570 *Article 5*: Seul le gouverneur est autorisé à fumer la pipe. Mais
seulement une fois par semaine, le dimanche après-midi après
le déjeuner.
(Il avait découvert depuis peu l'usage et l'agrément[2] de la
pipe de porcelaine du capitaine van Deyssel. Malheureusement
575 la provision de tabac du barillet ne durerait qu'un temps, et il
s'efforçait de la prolonger autant que possible.)

Il s'accorda quelques instants de réflexion avant de détermi-
ner les peines qui frapperaient ceux qui n'observeraient pas ces

---

1. **Le vendredi est jeûné**: le vendredi est un jour durant lequel est adoptée une alimentation plus légère, notamment sans viande.
2. **Agrément**: plaisir.

lois. Il fit quelques pas en direction de la porte qu'il ouvrit toute
580 grande. Comme la nature était belle ! Le feuillage des arbres
faisait comme une mer verte que le vent agitait et qui se mêlait
au loin avec la ligne bleue de l'Océan. Plus loin encore, il n'y
avait que le ciel absolument bleu et sans nuages. Mais non ! Pas
absolument bleu ! Robinson sursauta en voyant du côté de la
585 grande plage s'élever un nuage de fumée blanche. Pourtant il
était bien sûr de n'avoir laissé aucun feu allumé de ce côté-là.
Aurait-il des visiteurs ? Il alla décrocher du mur un fusil, une
poire à poudre[1], une bourse de balles et la longue-vue. Puis il
siffla Tenn et s'enfonça dans l'épaisseur du taillis en évitant la
590 voie directe qui menait de la grotte au rivage.

Trois longues pirogues à flotteurs et balanciers[2] étaient tirées sur
le sable sec. Une quarantaine d'hommes faisaient cercle debout
autour d'un feu d'où montait un torrent de fumée lourde, épaisse
et blanche. Robinson reconnut à la longue-vue des Araucans du
595 type *costinos*, redoutables Indiens de la côte du Chili. Ce peuple
avait tenu en échec les envahisseurs incas[3], puis il avait infligé de
sanglantes défaites aux conquistadores[4] espagnols. Petits, trapus[5],
ils étaient vêtus d'un grossier tablier de cuir. Leur visage large
aux yeux extraordinairement écartés était rendu plus bizarre
600 encore par l'habitude qu'ils avaient de s'épiler complètement les
sourcils. Ils avaient tous une chevelure noire, très longue, qu'ils
secouaient fièrement à toute occasion. Robinson les connaissait
par les fréquents voyages qu'il avait faits à Temuco, leur capitale.
Il savait que si un nouveau conflit avec les Espagnols avait éclaté,
605 aucun homme blanc ne trouverait grâce à leurs yeux.

---

1. **Poire à poudre** : petit réservoir en forme de poire contenant la poudre à fusil.
2. **Flotteurs, balanciers** : souvent de simples troncs d'arbres creux permettant d'assurer la stabilité de la pirogue sur l'eau.
3. **Incas** : peuple du Pérou.
4. **Conquistadores** : conquérants espagnols partis à la conquête du Nouveau Monde (Amérique).
5. **Trapus** : robustes, forts.

Avaient-ils effectué sur leurs pirogues l'énorme traversée des côtes du Chili à Speranza? Ce n'était pas impossible à en juger par leur réputation de marins émérites[1]. Mais il était plus probable qu'ils avaient colonisé l'une ou l'autre des îles Juan Fernández
610 – et Robinson pensa aussitôt qu'il avait eu de la chance de ne pas avoir été jeté entre leurs mains, car il aurait été à coup sûr réduit en esclavage, ou peut-être même massacré!

Grâce à des récits qu'il avait entendus en Araucanie, il devinait le sens de la cérémonie qui se déroulait actuellement sur le
615 rivage. Une vieille femme, maigre et échevelée[2], allait et venait en chancelant au milieu du cercle formé par les hommes. Elle s'approchait du feu, y jetait une poignée de poudre, et respirait avidement la lourde fumée blanche qui s'élevait aussitôt. Puis elle se tournait vers les Indiens immobiles, et elle paraissait les passer
620 en revue, pas à pas, s'arrêtant devant celui-ci, puis devant celui-là. Ensuite elle revenait près du foyer et le manège recommençait.

Il s'agissait d'une sorcière qu'on avait chargée de trouver parmi les Indiens lequel était responsable d'un malheur quelconque qui avait frappé la tribu – maladie, mort inexplicable, ou simplement
625 incendie, orage, mauvaise récolte… Et tout à coup, elle choisit en effet sa victime. Son long bras maigre se tendit vers l'un des hommes, tandis que sa bouche grande ouverte proférait des malédictions que Robinson n'entendait pas. L'Indien désigné par la sorcière se jeta à plat ventre sur le sol, secoué de grands
630 frissons de terreur. L'un des Indiens marcha vers lui. Il leva sa machette – un grand couteau qui leur sert d'arme et d'outil à la fois – et fit d'abord voler le tablier du misérable. Puis il l'abattit sur lui à coups réguliers, détachant sa tête, puis ses bras et ses jambes. Enfin les six morceaux de la victime furent portés dans
635 le feu dont la fumée aussitôt devint noire.

1. **Émérites** : expérimentés.
2. **Échevelée** : dont la chevelure est ébouriffée, en désordre.

Les Indiens avaient rompu le cercle et se dirigeaient vers les embarcations. Six d'entre eux en sortirent des outres[1] et se dirigèrent vers la forêt. Robinson s'enfonça rapidement sous les arbres sans perdre de vue les hommes qui envahissaient son domaine. S'ils venaient à découvrir des traces de sa vie dans l'île, ils pourraient se lancer à sa poursuite, et il leur échapperait difficilement. Mais heureusement le premier point d'eau se trouvait à la lisière de la forêt, et les Indiens n'eurent pas à s'enfoncer bien avant dans l'île. Ils remplirent les outres qu'ils portaient à deux, suspendues à une perche, et ils se dirigèrent vers les pirogues où leurs compagnons avaient pris place. La sorcière était accroupie sur une sorte de siège d'apparat[2] placé à l'arrière d'un des deux bateaux.

Lorsque les pirogues eurent disparu derrière les falaises, Robinson s'approcha du bûcher. On y distinguait encore les restes de l'homme si cruellement sacrifié, parce qu'il avait été déclaré responsable de quelque calamité. Et ce fut plein de peur, de dégoût et de tristesse que Robinson regagna sa maison de gouverneur où il se remit à la rédaction des lois de Speranza.

Article 6 : L'île de Speranza est déclarée place fortifiée. Elle est placée sous le commandement du gouverneur qui prend le grade de général. Le couvre-feu est obligatoire une heure après le coucher du soleil…

Durant les mois qui suivirent, Robinson éleva autour de sa maison et de l'entrée de la grotte une enceinte à créneaux[3] dont l'accès était lui-même défendu par un fossé de deux mètres de large et de trois mètres de profondeur. Les deux fusils et le pistolet étaient posés – chargés – sur le bord des trois créneaux

1. **Outres** : sacs en peau permettant de transporter des liquides.
2. **Siège d'apparat** : siège d'honneur décoré richement.
3. **Enceinte à créneaux** : rempart avec des ouvertures servant à la défense.

du centre. En cas d'attaque, Robinson pourrait faire croire aux
665 assaillants qu'il n'était pas le seul défenseur de la forteresse. Le sabre d'abordage et la hache étaient également à portée de la main, mais il était peu probable qu'un corps à corps se produisît, car il sema de pièges l'approche du fossé. Ce fut d'abord une série d'entonnoirs disposés en quinconce au fond desquels était
670 planté un pieu aiguisé au feu et que recouvraient des touffes d'herbe posées sur une mince claie[1] de joncs. Ensuite, il enfouit dans le sol à l'orée[2] de la forêt, là où logiquement d'éventuels assaillants se rassembleraient avant d'attaquer, deux tonneaux de poudre qu'un cordon d'étoupe permettait de faire exploser
675 à distance. Enfin il fit en sorte que la passerelle qui permettait de franchir le fossé fût mobile et qu'on pût la manœuvrer de l'intérieur de la forteresse.

Chaque soir, avant de sonner le couvre-feu avec sa trompe, il faisait une ronde, accompagné de Tenn qui paraissait avoir
680 compris le danger qui menaçait Speranza et ses habitants. Puis on procédait à la fermeture de la forteresse. Des blocs de pierre étaient roulés à des emplacements calculés afin que d'éventuels assaillants fussent obligés de se diriger vers les entonnoirs. La passerelle-pont-levis était retirée, on barricadait toutes les issues,
685 et le couvre-feu était sonné. Alors Robinson préparait le dîner, mettait le couvert dans sa belle maison, et se retirait dans la grotte. Il en ressortait quelques minutes plus tard, lavé, parfumé, peigné, la barbe taillée, vêtu de son habit de général. Enfin à la lueur d'un candélabre[3] hérissé de baguettes enduites de résine,
690 il dînait lentement sous le regard passionné et attentif de Tenn.

1. **Claie**: grille, treillage.
2. **Orée**: lisière, bordure.
3. **Candélabre**: chandelier.

À cette période d'activité militaire intense succédèrent des pluies abondantes. Il fallut faire de nombreuses réparations dans la maison, les chemins et les corrals[1] endommagés par le ruissellement des eaux. Puis ce fut à nouveau la récolte des
695 céréales. Elle fut si abondante qu'il fallut nettoyer et sécher une autre grotte non loin de la grande grotte qui commençait à déborder de grains. Cette fois, Robinson ne se refusa pas la joie de faire du pain, le premier qu'il mangeait depuis son installation dans l'île.

700 Cette abondance de céréales posa bientôt le problème de la lutte contre les rats. Les rongeurs en effet paraissaient se multiplier d'autant que les provisions qui pouvaient les nourrir augmentaient elles-mêmes, et, puisque Robinson avait l'intention d'entasser récolte sur récolte aussi longtemps qu'il en aurait la
705 force, il fallait sévir[2] contre les rongeurs.

Certains champignons rouges à pois jaunes devaient être vénéneux, car plusieurs chevreaux étaient morts après en avoir brouté des fragments mêlés à l'herbe. Robinson en tira un jus brunâtre dans lequel il fit tremper des grains de blé. Puis il répandit ces
710 grains empoisonnés sur les passages habituels des rats. Ils s'en régalèrent et ne furent même pas malades. Il construisit alors des cages dans lesquelles la bête tombait par une trappe. Mais

1. **Corrals** : enclos.
2. **Sévir** : lutter.

il aurait fallu des milliers de cages de ce genre, et puis il devait ensuite noyer les bêtes prises, et c'était horrible d'enfoncer la
715 cage dans l'eau de la rivière et d'assister à leur agonie[1].

Un jour, Robinson fut témoin d'un duel furieux que se livraient deux rats. Aveugles et sourds à tout ce qui les entourait, les deux bêtes nouées roulaient sur le sol avec des piaillements rageurs. Finalement, elles s'égorgèrent l'une l'autre et moururent sans
720 desserrer leur étreinte. En comparant les deux cadavres, Robinson s'aperçut qu'ils appartenaient à deux variétés différentes de rats. L'un très noir, rond et pelé, était semblable en tous points à ceux qu'il avait eu l'habitude de voir sur tous les navires où il avait navigué. L'autre gris, plus allongé et de poil plus épais,
725 assez semblable aux mulots des champs, se rencontrait dans les prairies de l'île. Robinson comprit bientôt que la première espèce provenait de l'épave de *La Virginie* et avait proliféré grâce aux réserves de céréales, tandis que l'autre espèce avait toujours vécu dans l'île. Les deux espèces paraissaient avoir
730 leurs territoires et leurs ressources bien séparés. Robinson s'en aperçut en lâchant un soir dans la prairie un rat noir qu'il venait de capturer dans la grotte. Longtemps les herbes frémissantes indiquèrent seules qu'une chasse sans pitié était en train de se dérouler. Puis ce fut le sable au pied d'une dune que Robinson
735 vit jaillir à quelque distance. Quand il arriva, il ne restait du rat noir que des touffes de poil et des lambeaux de chair.

Alors, il répandit deux sacs de grain dans la prairie après en avoir semé une mince traînée depuis la grotte jusque-là. Ce lourd sacrifice risquait d'être inutile. Il ne le fut pas. Dès
740 la tombée de la nuit, les noirs vinrent en foule récupérer le grain qu'ils considéraient sans doute comme leur propriété. Les gris se réunirent pour repousser cette soudaine invasion. La bataille éclata. Sur toute la prairie, une tempête paraissait soulever des petits jets de sable. Les couples de lutteurs roulaient

1. **Agonie** : instants précédant la mort.

745 comme des boulets vivants, tandis qu'un énorme piaillement montait du sol.

L'issue du combat était prévisible. Un animal qui se bat sur le territoire de son adversaire est presque toujours vaincu. Ce jour-là, tous les rats noirs périrent.

750 Robinson n'avait jamais été coquet et il n'aimait pas particulièrement se regarder dans les glaces. Pourtant cela ne lui était pas arrivé depuis si longtemps qu'il fut tout surpris un jour en sortant un miroir d'un des coffres de *La Virginie* de revoir son propre visage. En somme il n'avait pas tellement changé, si ce 755 n'est peut-être que sa barbe avait allongé et que de nombreuses rides nouvelles sillonnaient[1] son visage. Ce qui l'inquiétait tout de même, c'était l'air sérieux qu'il avait, une sorte de tristesse qui ne le quittait jamais. Il essaya de sourire. Là, il éprouva comme un choc en s'apercevant qu'il n'y arrivait pas. Il avait beau se forcer, 760 essayer à tout prix de plisser ses yeux et de relever les bords de sa bouche, impossible, il ne savait plus sourire. Il avait l'impression maintenant d'avoir une figure en bois, un masque immobile, figé dans une expression maussade[2]. À force de réfléchir, il finit par comprendre ce qui lui arrivait. C'était parce qu'il était seul. 765 Depuis trop longtemps il n'avait personne à qui sourire, et il ne savait plus ; quand il voulait sourire, ses muscles ne lui obéissaient pas. Et il continuait à se regarder d'un air dur et sévère dans la glace, et son cœur se serrait de tristesse. Ainsi il avait tout ce qu'il lui fallait sur cette île, de quoi boire et manger, une maison, un 770 lit pour dormir, mais pour sourire, personne, et son visage en était comme glacé.

1. **Sillonnaient** : creusaient.
2. **Maussade** : triste.

C'est alors que ses yeux s'abaissèrent vers Tenn. Robinson rêvait-il ? *Le chien était en train de lui sourire !* D'un seul côté de sa gueule, sa lèvre noire se soulevait et découvrait une double
775 rangée de crocs. En même temps, il inclinait drôlement la tête sur le côté, et ses yeux couleur de noisette se plissaient d'ironie[1]. Robinson saisit à deux mains la grosse tête velue, et ses paupières se mouillèrent d'émotion, cependant qu'un tremblement imperceptible[2] faisait bouger les commissures[3] de ses lèvres. Tenn faisait
780 toujours sa grimace, et Robinson le regardait passionnément pour réapprendre à sourire.

Désormais, ce fut comme un jeu entre eux. Tout à coup, Robinson interrompait son travail, ou sa chasse, ou sa promenade sur la grève, et il fixait Tenn d'une certaine façon. Et le chien lui souriait
785 à sa manière, cependant que le visage de Robinson redevenait souple, humain et souriait peu à peu à son tour.

---

1. **Ironie** : moquerie.
2. **Imperceptible** : très léger.
3. **Commissures** : coins.

Robinson ne cessait d'organiser et de civiliser son île, et de jour en jour il avait davantage de travail et des obligations plus nombreuses. Le matin par exemple, il commençait par faire sa toilette, puis il lisait quelques pages de la Bible, ensuite il se mettait au garde-à-vous devant le mât où il faisait ensuite monter le drapeau anglais. Puis avait lieu l'ouverture de la forteresse. On faisait basculer la passerelle par-dessus le fossé et on dégageait les issues bouchées par les rochers. La matinée commençait par la traite des chèvres, ensuite il fallait visiter la garenne[1] artificielle que Robinson avait établie dans une clairière sablonneuse. Là, il cultivait des navets sauvages, de la luzerne[2] et un carré d'avoine pour retenir une famille de lièvres chiliens qui vivaient sans cela dispersés dans l'île. C'était ce qu'on appelle des *agoutis*, des lièvres hauts sur pattes, très gros et avec des oreilles courtes.

Plus tard, il vérifiait le niveau des viviers[3] d'eau douce où prospéraient des truites et des carpes. À la fin de la matinée, il mangeait rapidement avec Tenn, faisait une petite sieste et se mettait en grand uniforme de général pour remplir les obligations officielles de l'après-midi. Il devait faire le recensement des tortues de mer qui avaient chacune leur numéro de matricule, inaugurer un pont de lianes audacieusement jeté par-dessus un ravin de cent pieds[4]

1. **Garenne** : bois où vivent les lapins sauvages.
2. **Luzerne** : plante dont se nourrit le bétail.
3. **Viviers** : bassins, étangs utilisés pour l'élevage des poissons.
4. **Pieds** : ancienne unité de mesure (100 pieds = environ 30 mètres).

de profondeur en pleine forêt tropicale, achever la construction d'une hutte de fougères à la lisière de la forêt bordant le rivage
810 de la baie qui serait un excellent poste d'affût pour surveiller la mer sans être vu, et une retraite d'ombre verte et fraîche pendant les heures les plus chaudes de la journée.

Souvent Robinson en avait assez de tous ces travaux et de toutes ces obligations. Il se demandait à quoi et à qui cela servait, mais
815 aussitôt il se souvenait des dangers de l'oisiveté[1], de la souille des pécaris où il risquait de retomber s'il cédait à la paresse, et il se remettait activement au travail.

1. **Oisiveté**: paresse.

Dès les premiers jours, il s'était servi de la grotte du centre de l'île pour mettre à l'abri ce qu'il avait de plus précieux : ses récoltes de céréales, ses conserves de fruits et de viande, plus au fond ses coffres de vêtements, ses outils, ses armes, son or, et enfin, dans la partie la plus reculée, ses tonneaux de poudre noire qui auraient suffi à faire sauter toute l'île. Depuis longtemps, il n'avait plus besoin de chasser au fusil, mais il était content d'avoir toute cette poudre à sa disposition : ça le rassurait et ça lui donnait le sentiment de sa supériorité.

Pourtant il n'avait jamais entrepris l'exploration du fond de la grotte, et il y pensait parfois avec curiosité. Derrière les tonneaux de poudre, le tunnel se poursuivait par une sorte de boyau[1] en pente raide où il décida un jour de s'engager pour voir jusqu'où cela le mènerait.

L'exploration présentait une difficulté majeure, celle de l'éclairage. Il ne disposait que de torches de bois résineux. Mais s'avancer dans le fond de la grotte avec une torche, c'était courir le risque de faire sauter les tonneaux, d'autant plus qu'il devait y avoir des traces de poudre par terre. Il y avait aussi le problème de la fumée qui aurait vite rendu l'air irrespirable. Il songea un moment à percer une cheminée d'aération et d'éclairage au fond de la grotte, mais la nature de la roche rendait ce projet irréalisable. Il n'y avait donc qu'une seule solution : accepter

1. **Boyau** : passage étroit.

l'obscurité et tâcher de s'y habituer. Il s'enfonça donc le plus loin qu'il put avec une provision de galettes de maïs et un pichet de lait de chèvre, et il attendit.

Le calme le plus absolu régnait autour de lui. Il savait que le
845 soleil était en train de baisser à l'horizon. Or l'ouverture de la grotte était ainsi placée qu'à un certain moment les rayons du soleil couchant se trouveraient exactement dans l'axe du tunnel. Pendant une seconde, la grotte allait être éclairée jusqu'au fond. C'est ce qui se produisit en effet, pendant la durée d'un éclair.
850 Mais c'en était assez pour que Robinson sût que sa première journée s'achevait.

Il s'endormit, mangea une galette, dormit encore, but du lait. Et tout à coup l'éclair se produisit à nouveau. Vingt-quatre heures s'étaient écoulées, mais pour Robinson elles avaient passé comme
855 un rêve. Il commençait à perdre la notion du temps. Les vingt-quatre heures suivantes passèrent encore plus vite, et Robinson ne savait plus s'il dormait ou s'il demeurait éveillé.

Enfin il se décida à se lever et à se diriger vers le fond de la grotte. Il n'eut pas à tâtonner[1] longtemps pour trouver ce qu'il
860 cherchait : l'orifice[2] d'une cheminée verticale et fort étroite. Il fit aussitôt quelques tentatives pour s'y laisser glisser. Les parois du boyau étaient lisses comme de la chair, mais le trou était si étroit qu'il y demeurait prisonnier à mi-corps. Alors il eut l'idée d'enlever tous ses vêtements et de se frotter tout le corps avec
865 le lait caillé qui restait au fond du pichet. Puis il plongea tête la première dans le goulot, et, cette fois, il glissa lentement mais régulièrement, comme une grenouille dans le gosier du serpent qui l'avale.

Il arriva mollement dans une sorte de niche tiède dont le fond
870 avait exactement la forme de son corps accroupi. Il s'y installa, recroquevillé sur lui-même, les genoux remontés au menton, les

1. **Tâtonner** : toucher les choses autour de soi pour se diriger dans l'obscurité.
2. **Orifice** : ouverture, trou.

mollets croisés, les mains posées sur les pieds. Il était si bien ainsi qu'il s'endormit aussitôt. Quand il se réveilla, quelle surprise ! *L'obscurité était devenue blanche autour de lui !* Il n'y voyait toujours rien, mais il était plongé dans du blanc et non plus dans du noir ! Et le trou où il était ainsi tapi était si doux, si tiède, si blanc qu'il ne pouvait s'empêcher de penser à sa maman. Il se croyait dans les bras de sa maman qui le berçait en chantonnant. Son père était un homme petit et maladif, mais sa mère était une grande femme, forte et calme, qui ne se fâchait jamais, mais qui devinait toujours la vérité rien qu'à regarder ses enfants.

Un jour qu'elle était au premier étage avec tous ses enfants et que le père était absent, le feu se déclara dans le magasin du rez-de-chaussée. La maison était très vieille et toute en bois, et le feu s'y propagea avec une vitesse effrayante. Le petit drapier était revenu en hâte, et il se lamentait et courait en tous sens dans la rue en voyant brûler sa maison avec sa femme et ses enfants. Tout à coup, il vit son épouse sortir tranquillement d'un torrent de flammes et de fumée avec tous ses enfants qu'elle portait sur ses épaules, dans ses bras, sur son dos, pendus à son tablier. C'était ainsi que Robinson la revoyait au fond de son trou, comme un arbre pliant sous le poids de tous ses fruits. Ou alors, c'était le soir de la fête des Rois. Elle pétrissait la pâte dans laquelle était cachée la fève qui désignerait le roi de la fête le lendemain. Il semblait à Robinson que toute l'île de Speranza était un immense gâteau et qu'il était lui-même la petite fève cachée au fond de la croûte.

Il comprit qu'il fallait qu'il sorte de son trou s'il ne voulait pas y rester à tout jamais. Il s'en arracha avec peine et se hissa par le goulot. Parvenu au fond de la grotte il retrouva à tâtons ses vêtements qu'il roula en boule sous son bras sans prendre le temps de se rhabiller. Il était inquiet parce que l'obscurité blanche persistait autour de lui. Serait-il devenu aveugle ? Il avançait en chancelant vers la sortie quand tout à coup la lumière du soleil le frappa en pleine figure. C'était l'heure la plus chaude de la journée, celle où même les lézards cherchent l'ombre. Pourtant

Robinson grelottait de froid et serrait l'une contre l'autre ses cuisses encore mouillées de lait caillé. Il se sauva vers sa maison, la figure cachée dans ses mains. Tenn gambadait autour de lui, tout heureux de l'avoir retrouvé, mais déconcerté de le voir si 910 nu et si faible.

Robinson redescendit plus d'une fois dans le trou de la grotte pour y retrouver la paix merveilleuse de son enfance. Il avait pris l'habitude d'arrêter chaque fois la clepsydre, parce qu'il n'y avait plus d'heure, ni d'emploi du temps au fond de la grotte. Mais il
915 était troublé, et il se demandait si ce n'était pas la paresse qui l'y attirait, comme autrefois elle l'avait fait descendre dans la souille.

Pour se changer les idées, il décida de mettre en culture les sacs de riz qu'il conservait depuis le premier jour. C'est qu'il avait toujours reculé devant le travail formidable que représente
920 l'installation d'une rizière. En effet le riz doit pouvoir pousser *sous l'eau*, et le niveau de l'eau doit toujours pouvoir être contrôlé et au besoin modifié. Il fut donc obligé de barrer le cours d'une rivière en deux endroits, une fois en aval pour inonder une prairie, une seconde fois en amont avec une voie de dérivation afin de
925 pouvoir suspendre l'arrivée de l'eau et provoquer l'assèchement de la prairie. Mais il fallut aussi faire des digues, construire deux vannes[1] qui pouvaient être ouvertes ou fermées à volonté, et dans dix mois, si tout allait bien, la récolte et le décorticage du riz exigeraient des journées de travail acharné.

930 Aussi lorsque sa rizière fut terminée et son riz semé et recouvert par une nappe d'eau, Robinson se demanda une fois de plus pourquoi il s'imposait tous ces efforts. S'il n'avait pas été seul, s'il

---

1. **Vannes**: panneaux placés sur un cours d'eau pour bloquer ou permettre l'écoulement de l'eau.

avait eu seulement une femme et des enfants, ou même un seul compagnon, il aurait su pourquoi il travaillait. Mais sa solitude rendait toute sa peine inutile.

Alors les larmes aux yeux, il redescendit au fond de la grotte…

Il y resta si longtemps cette fois-ci qu'il faillit bien être trop faible pour en remonter, et mourir ainsi tout au fond de son trou. Il chercha donc un moyen de se donner du courage pour vivre comme un homme et faire tout ce travail qui l'ennuyait tellement.

Il se souvint que son père lui faisait lire les *Almanachs* de Benjamin Franklin[1], un philosophe, un savant et un homme d'État américain de ce temps-là. Dans ces almanachs, Benjamin Franklin donne des préceptes moraux qui justifient les hommes qui travaillent et qui gagnent de l'argent. Robinson pensa qu'en inscrivant ces préceptes dans toute l'île de façon à les avoir toujours sous les yeux, il ne se découragerait plus et céderait moins souvent à la paresse. Par exemple, il coupa autant de petits rondins qu'il en fallait pour former dans le sable des dunes de l'île des lettres composant la phrase suivante :

« La pauvreté prive un homme de toute vertu : il est difficile à un sac vide de se tenir debout. »

Dans la paroi de la grotte il avait incrusté des petites pierres formant ainsi une sorte de mosaïque qui disait :

« Si le second vice est de mentir, le premier est de s'endetter, car le mensonge monte à cheval sur la dette. »

Des bûchettes de pin enveloppées d'étoupe étaient posées sur un lit de pierres, toutes prêtes à être enflammées, et elles disaient dans leur arrangement :

« Si les coquins savaient tous les avantages de la vertu, ils deviendraient vertueux par coquinerie. »

Il y avait enfin une devise plus longue que les autres – elle avait cent quarante-deux lettres – et Robinson avait eu l'idée de tondre

1. ***Almanachs* de Benjamin Franklin** : calendriers publiés par Benjamin Franklin (1706-1790), enrichis de règles morales et de conseils pratiques.

chacune de ces lettres sur le dos d'une chèvre de son corral, 965 de façon que par hasard, quelquefois, les chèvres en remuant forment l'ordre des cent quarante-deux lettres et fassent sortir la devise. Cette devise était la suivante :

« Celui qui tue une truie anéantit toutes les truies qu'elle aurait pu faire naître jusqu'à la millième génération. Celui qui dépense 970 une seule pièce de cinq shillings assassine des monceaux de pièces d'or. »

Robinson allait se mettre au travail, quand il tressaillit tout à coup de surprise et de peur : un mince filet de fumée blanche s'élevait dans le ciel bleu ! Il provenait du même endroit que la première 975 fois, mais maintenant toutes les inscriptions dont Robinson avait semé l'île n'allaient-elles pas le faire repérer par les Indiens ? En courant vers sa forteresse suivi de Tenn, il maudissait l'idée qu'il avait eue. Et puis il y eut un incident un peu ridicule qui lui parut être un mauvais signe : apeuré par cette cavalcade inattendue, 980 un de ses boucs les plus familiers le chargea brutalement, tête baissée. Robinson l'évita de justesse, mais Tenn roula en hurlant, projeté comme une balle dans un massif de fougères.

Dès que Robinson se fut enfermé avec Tenn dans la forteresse après avoir mis les blocs de rocher en place et avoir retiré la passerelle, 985 il commença à se demander si sa conduite était bien raisonnable. Car si les Indiens avaient repéré sa présence et décidé de prendre la forteresse d'assaut, ils auraient non seulement l'avantage du nombre, mais aussi celui de la surprise. En revanche, s'ils ne se souciaient pas de lui, tout absorbés dans leurs rites meurtriers, 990 quel soulagement pour Robinson ! Il voulut en avoir le cœur net. Toujours suivi de Tenn qui boitait, il empoigna l'un des fusils, glissa le pistolet dans sa ceinture, et s'enfonça sous les arbres en direction du rivage. Il fut obligé cependant de revenir sur ses pas, ayant oublié la longue-vue dont il pourrait avoir besoin.

995 Il y avait cette fois trois pirogues à balanciers, posées parallèlement sur le sable. Le cercle des hommes autour du feu était d'ailleurs plus vaste que la première fois, et Robinson, en les

examinant à la longue-vue, crut remarquer qu'il ne s'agissait pas du même groupe. Un malheureux avait déjà été coupé à coups de machette, et deux guerriers revenaient du bûcher où ils avaient jeté ses morceaux. C'est alors qu'eut lieu un rebondissement sans doute inattendu dans ce genre de cérémonie. La sorcière qui était accroupie sur le sol se releva tout à coup, courut vers l'un des hommes, et, tendant vers lui son bras maigre, elle ouvrit la bouche toute grande pour proférer un flot de malédictions que Robinson devinait sans pouvoir les entendre. Ainsi il y aurait une seconde victime ce jour-là ! Visiblement les hommes hésitaient. Finalement l'un d'eux se dirigea, une machette à la main, vers le coupable désigné que ses deux voisins avaient soulevé et projeté sur le sol. La machette s'abattit une première fois, et le pagne de cuir vola en l'air. Elle allait retomber sur le corps nu, quand le malheureux bondit sur ses pieds et s'élança en avant vers la forêt. Dans la longue-vue de Robinson, il paraissait sauter sur place, poursuivi par deux Indiens. En réalité, il courait droit vers Robinson avec une rapidité extraordinaire. Pas plus grand que les autres, il était beaucoup plus mince et taillé vraiment pour la course. Il paraissait de peau plus sombre et ressemblait plus à un nègre qu'à un Indien. C'était peut-être cela qui l'avait fait désigner comme coupable, parce que dans un groupe d'hommes, celui qui ne ressemble pas aux autres est toujours détesté.

Cependant, il approchait de seconde en seconde, et son avance sur ses deux poursuivants ne cessait de croître. Robinson était certain qu'on ne pouvait le voir de la plage, sinon il aurait pu croire que l'Indien l'avait aperçu et venait se réfugier auprès de lui. Il fallait prendre une décision. Dans quelques instants les trois Indiens allaient se trouver nez à nez avec lui, et ils allaient peut-être se réconcilier en le prenant comme victime ! C'est le moment que choisit Tenn pour aboyer furieusement dans la direction de la plage. Maudite bête ! Robinson se rua sur le chien et, lui passant le bras autour du cou, il lui serra le museau dans sa main gauche, tandis qu'il épaulait tant bien que mal son fusil

d'une seule main. Il visa au milieu de la poitrine le premier poursuivant qui n'était plus qu'à trente mètres et pressa la détente. Au moment où le coup partait, Tenn fit un brusque effort pour se
1035 libérer. Le fusil dévia et à la grande surprise de Robinson, ce fut le second poursuivant qui effectua un vaste plongeon et s'étala dans le sable. L'Indien qui le précédait s'arrêta, rejoignit le corps de son camarade sur lequel il se pencha, se releva, inspecta le rideau d'arbres où s'achevait la plage, et, finalement, s'enfuit à
1040 toutes jambes vers le cercle des autres Indiens.

À quelques mètres de là, dans un massif de palmiers nains, l'Indien rescapé inclinait son front jusqu'au sol et cherchait à tâtons de la main le pied de Robinson pour le poser en signe de soumission[1] sur sa nuque.

1. **Soumission** : obéissance.

Arrêt sur lecture 2

Un quiz pour commencer

Cochez les bonnes réponses.

❶ *Où Robinson entrepose-t-il les quarante tonneaux de poudre à canon ?*

- ☐ Dans la forêt.
- ☒ Au fond de la grotte.
- ☐ Dans sa cabane.

❷ *Comment Robinson se procure-t-il de l'encre ?*

- ☒ Grâce au poisson-hérisson.
- ☐ Grâce à l'encrier trouvé sur *La Virginie*.
- ☐ Grâce aux plantes de l'île.

❸ *Quel compagnon Robinson retrouve-t-il sur l'île ?*

- ☐ Le capitaine de *La Virginie*.
- ☐ Un membre de sa famille.
- ☒ Tenn, le chien de *La Virginie*.

❹ *Que décide de faire Robinson à partir de son 1000ᵉ jour sur l'île ?*
- ❐ De se reposer.
- ❐ De partir à la recherche d'autres habitants.
- ☒ De créer des lois pour organiser la vie sur l'île.

❺ *À quelle cérémonie des Indiens Robinson assiste-t-il ?*
- ☒ À un sacrifice humain.
- ❐ À un rituel guerrier.
- ❐ Au couronnement du chef.

❻ *Pourquoi Robinson éprouve-t-il un choc lorsqu'il regarde son visage dans un miroir ?*
- ❐ Il se trouve âgé.
- ❐ Il se trouve laid.
- ☒ Il se trouve triste.

❼ *Où Robinson se rend-il pour chercher du réconfort ?*
- ☒ Dans la grotte.
- ❐ Dans la mer.
- ❐ Dans la forêt.

❽ *Que se passe-t-il lors de la seconde cérémonie des Indiens ?*
- ❐ Tenn mord la sorcière.
- ☒ L'un des Indiens s'enfuit.
- ❐ Robinson les attaque.

❾ *Que fait Robinson au moment où les Indiens courent dans sa direction ?*
- ☒ Il tire un coup de fusil et en tue un.
- ❐ Il s'enfuit en courant.
- ❐ Il grimpe au sommet d'un arbre.

Des questions pour aller plus loin

Étudier la vie de Robinson sur l'île

L'organisation de la vie quotidienne

❶ Après avoir relu attentivement le septième chapitre (p. 35-40), reproduisez et complétez le tableau suivant pour récapituler les différents travaux qu'entreprend Robinson sur l'île.

Passages du septième chapitre	Travaux pour aménager l'espace	Travaux pour organiser le temps
l. 372-375		
l. 375-386		
l. 403-405		
l. 405-408		
l. 409-419		
l. 420-429		
l. 460-472		
l. 492-510		
l. 514-533		

❷ Relevez les détails qui donnent à la cérémonie de la charte un aspect solennel. Dans quelle mesure cette cérémonie peut-elle sembler inadaptée à la situation de Robinson ?

❸ Relisez le récit de l'élaboration de la place fortifiée (p. 45-46). À quelle construction en lien avec votre programme d'histoire ressemble-t-elle ? Relevez des termes précis pour justifier votre réponse.

❹ Selon vous, pourquoi Robinson a-t-il eu besoin d'établir des lois sur l'île ? Quels risques prend-il en agissant ainsi ?

La solitude de Robinson

❺ Comment Robinson nomme-t-il son île déserte ? Pourquoi ?
❻ Que fuit Robinson en allant dans la grotte ? En quoi cet endroit est-il un lieu réconfortant ?
❼ Des lignes 894 à 896 (p. 56), quelle figure de style est utilisée ? Qu'indique-t-elle sur l'état d'esprit de Robinson ?
❽ Pourquoi peut-on considérer Tenn comme un personnage à part entière ? Qu'apporte-t-il à Robinson ?

La confrontation avec l'inconnu

❾ En quoi les Indiens qui débarquent sur l'île sont-ils effrayants ? Quelle est la réaction de Robinson à leur approche ?
❿ Relisez les lignes 1018 à 1020 de la page 61. À quel moment intervient cette réflexion du narrateur ? Expliquez l'emploi du présent de l'indicatif dans cette phrase.
⓫ Dans les lignes 742 à 749 (p. 48-49), quel est le champ lexical dominant ? En quoi l'épisode des rats est-il un avertissement pour Robinson ?
⓬ Expliquez le geste de l'Indien rescapé à la fin du treizième chapitre (p. 62).

Rappelez-vous !
Pour survivre sur l'île et ne pas sombrer dans la folie, Robinson organise ses journées à l'aide de certaines règles de sa vie passée. L'exploration de l'île, l'organisation de la survie et la rencontre avec autrui sont des épisodes incontournables de la robinsonnade (récit des aventures d'un naufragé sur une île déserte).

De la lecture à l'écriture

Des mots pour mieux écrire

❶ ***Dans la liste suivante, repérez les mots de la même famille que « seul ». N'hésitez pas à vous aider d'un dictionnaire :*** solitaire, isolement, solaire, isoler, désolé, esseulé, solo, sollicitude, isolation.

❷ ***Complétez les phrases suivantes avec les mots qui conviennent :*** labeur, intolérance, emportement, quiétude.

a. La grotte est un endroit de ______________.
b. Les gens qui n'acceptent pas les différences d'autrui font preuve d' ______________.
c. Travailler les champs est un dur ______________.
d. Lorsqu'il casse l'un de ses outils, Robinson s'énerve mais il ne devrait pas céder à l' ______________.

À vous d'écrire

❶ Rédigez un extrait du journal de bord de Robinson dans lequel il décrit ses retrouvailles avec Tenn.
Consigne. Vous utiliserez la première personne du singulier, le présent et le passé composé. Décrivez précisément les émotions de Robinson et la fête que ces retrouvailles provoquent.

❷ Imaginez que Robinson soit capturé par les Araucans. Racontez cet épisode.
Consigne. Utilisez la troisième personne du singulier et les temps du récit au passé. Votre texte, d'une vingtaine de lignes environ, comportera un portrait physique des Araucans et un portrait moral de Robinson.

1045 Robinson et l'Indien passèrent la nuit derrière les créneaux de la forteresse, l'oreille tendue vers tous les bruits nocturnes de la forêt. Toutes les deux heures, Robinson envoyait Tenn en reconnaissance avec mission d'aboyer s'il rencontrait une présence humaine. Chaque fois il revint sans avoir donné l'alerte. L'Indien
1050 qui serrait autour de ses reins un vieux pantalon de marin que Robinson lui avait fait enfiler était abattu, sans ressort[1], comme abasourdi[2] par son horrible aventure, et aussi par l'étonnante construction où il se trouvait transporté. Il avait laissé intacte la galette de blé que Robinson lui avait donnée, et il mâchait sans
1055 cesse des fèves sauvages dont Robinson se demandait où il avait bien pu les trouver. Un peu avant le lever du jour, il s'endormit sur un tas de feuilles sèches en tenant serré contre lui le chien, lui aussi assoupi. Robinson connaissait l'habitude de certains Indiens chiliens d'utiliser un animal domestique comme une couverture
1060 vivante pour se protéger du froid de la nuit. Pourtant il fut surpris de la patience de Tenn, d'un naturel habituellement assez farouche[3].

Peut-être les Indiens attendaient-ils le jour pour attaquer ? Robinson armé du pistolet, des deux fusils et de tout ce qu'il pouvait transporter de poudre et de balles, se glissa hors de l'enceinte
1065 et gagna le rivage en faisant un vaste crochet[4] par les dunes.

---

1. **Sans ressort** : sans énergie.
2. **Abasourdi** : stupéfait, très étonné.
3. **Farouche** : sauvage.
4. **Crochet** : détour.

La plage était déserte. Les trois pirogues et leurs occupants avaient disparu. Le cadavre de l'Indien abattu la veille d'un coup de fusil avait été enlevé. Il ne restait que le cercle noir du feu magique où les ossements se mêlaient aux souches calcinées.
1070 Robinson posa sur le sable ses armes et ses munitions avec un sentiment d'immense soulagement. Un grand rire le secoua, nerveux, fou, inextinguible[1]. Lorsqu'il s'arrêta pour reprendre son souffle, il pensa que c'était la première fois qu'il riait depuis le naufrage de *La Virginie.* Peut-être pouvait-il rire à nouveau
1075 parce qu'il avait enfin un compagnon ? Mais il se mit à courir tout à coup parce qu'une idée lui était venue : *L'Évasion* ! Il avait toujours évité de revenir sur l'emplacement du chantier où il avait eu une si grande déception. Pourtant le petit bateau devait toujours être là et attendre que des bras assez forts le poussent
1080 vers la plage ! Peut-être l'Indien allait-il pouvoir aider Robinson à mettre *L'Évasion* à flot et, alors, sa connaissance des îles serait très précieuse.

En approchant de la forteresse, Robinson aperçut l'Indien qui jouait tout nu avec Tenn. Il fut fâché de l'impudeur[2] du
1085 sauvage, et aussi de l'amitié qui paraissait être née entre le chien et lui. Après lui avoir fait remettre son pantalon trop grand, il l'entraîna vers *L'Évasion.*

Les genêts[3] avaient tout envahi, et le petit bateau paraissait flotter sur une mer de fleurs jaunes. Le mât était tombé, et les
1090 planches du pont se soulevaient par endroits, sans doute sous l'effet de l'humidité, mais la coque paraissait encore entière. Tenn qui précédait les deux hommes fit plusieurs fois le tour du bateau. Puis, d'un coup de rein, il sauta sur le pont qui s'effondra aussitôt sous son poids. Robinson le vit disparaître dans la cale
1095 avec un hurlement de peur. Quand il arriva près du bateau, le

---

1. **Inextinguible** : qu'on ne peut arrêter.
2. **Impudeur** : manque de pudeur physique, indécence.
3. **Genêts** : plantes à fleurs jaune d'or.

pont tombait par morceaux entiers chaque fois que Tenn faisait un effort pour sortir de sa prison. L'Indien posa la main sur le bord de la coque, il la referma et l'ouvrit à nouveau sous les yeux de Robinson : elle était pleine d'une sciure[1] rouge qui s'envola
1100 dans le vent. Il éclata de rire. À son tour Robinson donna un léger coup de pied dans la coque : un nuage de poussière s'éleva dans l'air tandis qu'un large trou s'ouvrait dans le flanc du bateau. Les termites avaient complètement rongé *L'Évasion.* Il n'y avait plus rien à faire.

1. **Sciure** : poussière de bois.

1105 Robinson s'était longtemps demandé comment il appellerait l'Indien. Il ne voulait pas lui donner un nom chrétien aussi longtemps qu'il ne serait pas baptisé. Il décida finalement de lui donner le nom du jour où il l'avait recueilli. C'est ainsi que le second habitant de l'île s'appela *Vendredi*.

1110 Quelques mois plus tard, Vendredi avait appris assez d'anglais pour comprendre les ordres de son maître. Il savait aussi défricher, labourer, semer, herser, repiquer, sarcler, faucher[1], moissonner, battre, moudre, pétrir et cuire le pain. Il savait traire les chèvres, faire du fromage, ramasser les œufs de tortue, en faire une ome-
1115 lette, raccommoder les vêtements de Robinson et cirer ses bottes. C'était devenu un serviteur modèle. Le soir, il endossait une livrée de laquais[2] et assurait le service du dîner du gouverneur. Puis il bassinait[3] son lit avec une boîte en fer remplie de braises. Enfin il allait s'étendre sur une litière qu'il tirait contre la porte de la
1120 maison et qu'il partageait avec Tenn.

Robinson, lui, était content parce qu'il avait enfin quelqu'un à faire travailler, et à qui il pouvait tout enseigner de la civilisation. Vendredi savait maintenant que tout ce que son maître lui ordonnait était bien, que tout ce qu'il lui défendait était mal. Il
1125 est mal de manger plus que la portion prévue par Robinson. Il

---

1. **Herser**: briser les mottes de terre avec une herse; **repiquer**: replanter; **sarcler**: désherber; **faucher**: couper.
2. **Livrée de laquais**: vêtement des domestiques.
3. **Bassinait**: chauffait.

est mal de fumer la pipe, de se promener tout nu et de se cacher pour dormir quand il y a du travail. Vendredi avait appris à être soldat quand son maître était général, enfant de chœur quand il priait, maçon quand il construisait, porteur quand il voyageait, 1130 rabatteur[1] quand il chassait, et à balancer le chasse-mouches au-dessus de sa tête quand il dormait.

Robinson avait une autre raison d'être content. Il savait maintenant que faire de l'or et des pièces de monnaie qu'il avait sauvés de l'épave de *La Virginie.* Il payait Vendredi. Un demi-souverain 1135 d'or par mois. Avec cet argent, Vendredi achetait de la nourriture en supplément, des petits objets d'usage courant venant aussi de *La Virginie,* ou tout simplement une demi-journée de repos – la journée entière ne pouvait être achetée. Il s'était fait un hamac entre deux arbres où il passait tout son temps libre.

1140 Le dimanche était naturellement le plus beau jour de la semaine. Le matin, le gouverneur se faisait apporter par son serviteur une sorte de canne qui ressemblait à la fois au sceptre d'un roi et à la crosse d'un évêque, et, abrité sous une ombrelle en peau de chèvre que Vendredi portait derrière lui, il marchait majestueu- 1145 sement dans toute l'île, inspectant ses champs, ses rizières et ses vergers, ses troupeaux et ses constructions en cours. Il félicitait ou blâmait, donnait des ordres pour la semaine prochaine, faisait des projets pour les années à venir. Puis c'était le déjeuner, plus long et plus succulent[2] qu'en semaine. L'après-midi, Vendredi nettoyait 1150 et embellissait Speranza. Il désherbait les chemins, semait des graines de fleurs devant la maison, taillait les arbres d'agrément.

Vendredi avait su s'attirer la bienveillance de son maître par plusieurs bonnes idées. L'un des grands soucis de Robinson était de se débarrasser des ordures et détritus de la cuisine et de l'atelier 1155 sans attirer les vautours, ni les rats. Or il ne savait comment faire. Les petits carnivores déterraient tout ce qu'il enfouissait sous la

1. **Rabatteur** : personne chargée de pousser le gibier vers les chasseurs.
2. **Succulent** : délicieux.

terre, les marées rejetaient sur la plage tout ce qu'il jetait dans la mer ; quant au feu, il provoquait une fumée nauséabonde[1] qui empestait la maison et les vêtements.

1160 Vendredi avait eu l'idée de mettre à profit la voracité[2] d'une colonie de grosses fourmis rouges qu'il avait découverte à proximité de la maison. Tous les rebuts[3] déposés au milieu de la fourmilière étaient dévorés en un rien de temps, et les os apparaissaient rapidement nus, secs et parfaitement nettoyés de toute chair.

1165 Vendredi apprit aussi à Robinson à se servir de *bolas*. Les bolas, très répandues en Amérique du Sud, sont une arme formée de trois galets ronds attachés à des cordelettes réunies en étoiles. Lancées adroitement, elles tournoient comme des étoiles à trois branches, et dès qu'elles sont arrêtées par un obstacle, elles l'en-
1170 tourent et le ligotent solidement.

Vendredi lançait des bolas dans les jambes des chèvres qu'il voulait immobiliser pour les soigner, les traire ou les sacrifier. Puis il montra à Robinson qu'elles pouvaient aussi servir pour capturer des chevreuils, et même des oiseaux échassiers[4]. Enfin
1175 il le persuada qu'en augmentant la grosseur des galets, on pouvait se servir des bolas comme d'une arme terrible, capable de défoncer la poitrine d'un ennemi après l'avoir à demi étranglé. Robinson qui craignait toujours un retour offensif des Indiens lui fut reconnaissant d'avoir ajouté à son arsenal cette arme silen-
1180 cieuse, facile à remplacer, et cependant meurtrière. Ils s'exercèrent longtemps sur la grève en prenant pour cible un tronc d'arbre de la grosseur d'un homme.

Enfin l'Indien eut l'idée de fabriquer pour Robinson et lui une pirogue, semblable à celles de son pays. Il commença à creuser
1185 à la hache le tronc d'un pin très droit et de grande envergure[5].

---

1. **Nauséabonde** : infecte, puante.
2. **Voracité** : gloutonnerie, avidité à manger.
3. **Rebuts** : déchets.
4. **Oiseaux échassiers** : oiseaux à longues pattes fines.
5. **Envergure** : ampleur.

Travail lent et patient qui ne ressemblait pas à la hâte fiévreuse dans laquelle Robinson avait construit *L'Évasion.* D'ailleurs, encore vexé par son échec, Robinson ne se mêlait de rien et se contentait de regarder travailler son compagnon. Vendredi avait commencé
1190 à faire du feu sous la partie du tronc qu'il voulait creuser, procédé qui avait l'avantage de hâter considérablement le travail, mais qui risquait, si l'arbre prenait feu, de tout compromettre. Finalement il y renonça et se servit même d'un simple canif pour parachever[1] le travail.

1195 Lorsqu'elle fut terminée, la pirogue était assez légère pour que Vendredi puisse l'élever à bout de bras au-dessus de sa tête, et c'est ainsi, les épaules couvertes comme par un capuchon de bois qu'il descendit vers la plage, entouré par les gambades de Tenn, et suivi de loin par un Robinson de mauvaise humeur.
1200 Mais lorsque le petit bateau commença à danser sur les vagues, Robinson fut bien obligé de renoncer à sa jalousie, et, prenant place derrière Vendredi, il saisit l'une des deux pagaies simples que l'Indien avait taillées dans des branches d'araucaria[2]. Puis ils firent pour la première fois le tour de l'île par mer, accompa-
1205 gnés de loin par Tenn qui galopait en aboyant le long du rivage.

---

1. **Parachever** : terminer.
2. **Araucaria** : arbre d'Amérique du Sud.

Tout allait bien en apparence. L'île prospérait[1] au soleil, avec ses cultures, ses troupeaux, ses vergers, et les maisons qui s'édifiaient[2] de semaine en semaine. Vendredi travaillait dur, et Robinson régnait en maître. Tenn qui vieillissait faisait des siestes de plus en plus longues.

La vérité, c'est qu'ils s'ennuyaient tous les trois. Vendredi était docile[3] par reconnaissance. Il voulait faire plaisir à Robinson qui lui avait sauvé la vie. Mais il ne comprenait rien à toute cette organisation, à ces codes, à ces cérémonies, et même la raison d'être des champs cultivés, des bêtes domestiquées et des maisons lui échappait complètement. Robinson avait beau lui expliquer que c'était comme cela en Europe dans les pays civilisés, il ne voyait pas pourquoi il fallait faire la même chose sur l'île déserte du Pacifique. De son côté Robinson voyait bien que Vendredi n'approuvait pas du fond du cœur cette île trop bien administrée qui était l'œuvre de sa vie. Certes Vendredi faisait de son mieux. Mais dès qu'il avait un moment de liberté, il ne faisait que des bêtises.

Par exemple, il se conduisait à l'égard des animaux d'une façon tout à fait incompréhensible. Pour Robinson, les animaux étaient soit utiles, soit nuisibles[4]. Les utiles devaient être protégés pour

1. **Prospérait** : se développait.
2. **S'édifiaient** : s'élevaient.
3. **Docile** : obéissant.
4. **Nuisibles** : mauvais, nocifs.

qu'ils se multiplient. Quant aux nuisibles, il fallait les détruire de la façon la plus expéditive[1]. Impossible de faire comprendre cela à Vendredi ! Tantôt il se prenait d'une amitié passionnée et
1230 absurde pour n'importe quel animal – utile ou nuisible. Tantôt il accomplissait sur des animaux des actes d'une cruauté monstrueuse.

C'est ainsi qu'il avait entrepris d'élever et d'apprivoiser un couple de rats ! Même Tenn avait compris qu'il devait laisser en
1235 paix ces horribles bêtes parce que Vendredi les avait prises sous sa protection. Robinson eut bien du mal à s'en débarrasser. Un jour il les emporta dans la pirogue et les jeta à la mer. Les rats revinrent au rivage à la nage et de là regagnèrent la maison. Robinson recommença, mais cette fois en employant une ruse
1240 qui réussit parfaitement. Il emporta avec les rats une planche bien sèche. Il mit les rats sur la planche, et la planche dans la mer. Les rats cramponnés à ce petit bateau improvisé n'osaient pas se jeter à l'eau pour revenir à la plage, et le courant les emporta au large. Vendredi ne dit rien, mais Robinson vit bien
1245 qu'il savait. Comme si Tenn qui avait tout vu lui avait raconté ce qui s'était passé !

Un autre jour, Vendredi disparut pendant plusieurs heures. Robinson allait partir à sa recherche, quand il vit une colonne de fumée qui s'élevait derrière les arbres du côté de la plage. Il
1250 n'était pas défendu d'allumer des feux sur l'île, mais le règlement voulait qu'on prévînt le gouverneur en précisant le lieu et l'heure qu'on avait choisis. C'était pour éviter toute confusion avec le feu rituel des Indiens qui pouvaient toujours revenir. Si Vendredi avait négligé de prévenir Robinson, c'était sans doute que ce
1255 qu'il était en train de faire n'avait aucune chance de lui plaire.

Robinson se leva en soupirant et se dirigea vers la plage après avoir sifflé Tenn.

---

1. **Expéditive** : rapide et efficace.

Il ne comprit pas tout de suite le curieux travail auquel se livrait Vendredi. Sur un tapis de cendres brûlantes, il avait posé une grosse tortue qu'il avait fait basculer sur le dos. La tortue n'était pas morte, et elle battait furieusement l'air de ses quatre pattes. Robinson crut même entendre comme une toux un peu rauque qui devait être sa façon de crier. Faire crier une tortue ! Fallait-il que l'Indien eût le diable au corps ! Quant au but de cette horrible opération, il le comprit en voyant la carapace de la tortue se redresser, devenir presque plate et naturellement se détacher du corps de la tortue. Pendant ce temps, Vendredi avec un couteau coupait à l'intérieur les parties qui restaient encore collées à la carapace. Tout à coup, la tortue roula sur le côté en laissant sa carapace par terre. Elle retomba sur ses pattes et se mit à galoper vers la mer, suivie par Tenn qui courait derrière en aboyant. Puis elle s'enfonça dans les vagues.

– Elle a tort, dit tranquillement Vendredi, demain les crabes l'auront mangée !

Puis il se mit à frotter avec du sable l'intérieur de la carapace qui formait comme un grand plateau un peu incurvé.

– C'est un bouclier, expliqua-t-il à Robinson. C'est comme cela qu'on les fait dans mon pays. Aucune flèche ne peut le percer, et même les grosses bolas rebondissent dessus sans le casser !

Robinson en voulait beaucoup à Vendredi de la cruauté qu'il avait montrée dans cette affaire de bouclier. Mais un peu plus tard, il eut l'occasion de voir à quel point Vendredi pouvait être gentil et dévoué envers une bête quand il l'avait adoptée.

Malheureusement il s'agissait cette fois d'un petit vautour que ses parents avaient abandonné. C'était une horrible petite bête, avec sa grosse tête aux yeux exorbités, ses lourdes pattes maladroites, et ce petit corps tout nu et tordu comme celui d'un infirme[1]. Il ouvrait largement son énorme bec et le tendait en piaillant chaque fois qu'on s'approchait de lui.

---

1. **Infirme** : personne souffrant d'un handicap physique.

1290 Vendredi commença par lui donner des morceaux de viande fraîche qu'il avalait avec avidité[1]. Mais bientôt le petit vautour donna des signes de maladie. Il dormait toute la journée, et sous son maigre duvet son gésier[2] saillait[3] comme une boule dure. En vérité, il ne pouvait pas digérer cette viande trop fraîche. Il fallait 1295 trouver autre chose. Alors Vendredi laissa des boyaux de chèvres pourrir au soleil. Bientôt on vit des asticots blancs et gras qui grouillaient dans la viande nauséabonde. Vendredi les recueillit avec un coquillage. Puis il les mit dans sa bouche et les mâcha longtemps. Enfin il laissa couler dans le bec du petit vautour 1300 la bouillie blanche et épaisse qui résultait de cette mastication.

– Les vers vivants trop frais, expliqua-t-il. L'oiseau malade. Alors il faut mâcher, mâcher. Toujours mâcher pour les petits oiseaux.

Robinson qui le voyait faire en eut l'estomac soulevé de dégoût, et il se sauva pour ne pas vomir. Mais au fond, il admirait les 1305 sacrifices que pouvait faire Vendredi quand il avait décidé d'aider un animal*.

1. **Avidité**: appétit vorace, gloutonnerie.
2. **Gésier**: estomac d'un oiseau ou d'une volaille.
3. **Saillait**: ressortait.

* Il est vrai que pour nourrir un petit oiseau tombé du nid, il faut bien mâcher soi-même tout ce qu'on lui donne. Mais bien sûr on n'est pas obligé de prendre des asticots. De la viande, du jambon ou de l'œuf dur font très bien l'affaire. [*Note de Michel Tournier.*]

Depuis l'arrivée de Vendredi, Robinson n'était pas retourné au fond de la grotte. Il espérait que grâce à son nouveau compagnon la vie dans l'île, le travail et les cérémonies l'amuseraient suffisamment pour qu'il n'ait plus envie de cette sorte de drogue.

Or, une nuit de pleine lune, il s'éveilla et n'arriva plus à se rendormir. Dehors, il n'y avait pas un souffle de vent et les arbres parfaitement immobiles paraissaient dormir, comme Vendredi et Tenn enlacés à leur habitude devant la porte. Robinson fut envahi par un sentiment de très grand bonheur. En effet, parce qu'il faisait nuit, il n'y avait pas de travail possible, pas de cérémonies, pas d'uniformes, pas de gouverneur, ni de général, bref c'était les vacances. Robinson aurait voulu que la nuit ne finît jamais, que les vacances durent toujours. Mais il savait que le jour allait revenir, et avec lui tous ses soucis et toutes ses obligations. Alors il se leva, et il alla arrêter la clepsydre ; puis il ouvrit la porte, il enjamba les corps de Vendredi et de Tenn, et il se dirigea vers la grotte au fond de laquelle justement la nuit ne finissait jamais, le rêve durait toujours.

Le lendemain matin, Vendredi fut bien surpris de ne pas retrouver Robinson. Il avait dormi deux heures de plus parce que son maître ne l'avait pas réveillé, et il se sentait de très bonne humeur. Que faire ? Il y avait bien les choux à arroser, les chèvres à traire et une petite cabane d'observation à terminer au sommet du cèdre géant de la grotte. Mais, puisque Robinson n'était pas là, toutes ces obligations d'homme blanc disparaissaient et Vendredi n'obéissait plus qu'à son cœur d'Indien. Son regard rencontra sous la table de Robinson un coffre fermé – mais non verrouillé – dont il avait pu explorer le contenu. Il le traîna sur les dalles 1335 et le hissa sur son épaule. Puis il sortit suivi par Tenn.

Au nord-ouest de l'île, à l'endroit où la grande prairie se perdait dans les sables, fleurissait une plantation de cactus et de cactées qui avaient des formes et les silhouettes les plus bizarres. On aurait dit un cortège de mannequins de caoutchouc vert hérissés de 1340 piquants avec des boules, des raquettes, des queues, des trompes.

Vendredi lança sur le sol le coffre qui lui avait meurtri l'épaule. Les charnières[1] du couvercle sautèrent, et un brillant désordre d'étoffes précieuses et de bijoux se répandit au pied des cactus. Ces vêtements, Vendredi n'aurait pas songé à s'en vêtir lui-même. 1345 Mais il trouva amusant d'en habiller les cactus qui avaient tous des formes vaguement humaines. Alors pendant plus d'une heure il disposa sur ces drôles de plantes, grandes comme des hommes, des capes, des châles, des chapeaux, il leur enfila des robes, des pantalons, des gants, il les couvrit enfin de bracelets, de colliers, 1350 de boucles d'oreilles, de diadèmes[2], et il trouva même au fond du coffre des ombrelles[3], des faces-à-main[4] et des éventails qu'il leur distribua pour compléter l'illusion. Puis il contempla son œuvre, cette foule de grandes dames, de prélats[5], de majordomes[6] et de monstres biscornus qui avaient l'air dans leurs somptueux atours[7] 1355 de se contorsionner, de se faire des révérences, de danser un ballet fantastique et immobile. Il rit très fort et imita ces bonshommes et ces bonnes femmes absurdes en gesticulant et en sautant sur place, tandis que Tenn gambadait et jappait joyeusement autour

---

1. **Charnières** : attaches.
2. **Diadèmes** : bijoux en forme de couronne à porter sur le front.
3. **Ombrelles** : petits parasols.
4. **Faces-à-main** : lunettes sans branches que l'on tient par un manche.
5. **Prélats** : religieux de haut rang.
6. **Majordomes** : chefs des domestiques.
7. **Atours** : ensemble des vêtements et des bijoux.

de lui. Puis il tourna le dos aux cactus et aux cactées habillés, et il se dirigea vers les dunes qui le séparaient de la plage.

Il faisait un temps magnifique, et Vendredi chantait de bonheur en courant sur le sable blanc et pur de la plage. Comme il était beau, nu et joyeux, seul avec le soleil et son chien, libre de faire ce qu'il voulait, loin de l'ennuyeux Robinson ! Il ramassait des galets mauves, bleus ou tachetés, bien plus jolis dans leur vérité et leur simplicité que les gros bijoux compliqués qu'il avait accrochés aux cactus. Il les lançait à Tenn qui courait après en aboyant et les lui rapportait. Puis il lui lança, dans la mer cette fois, des morceaux de bois, et le chien se précipitait dans les vagues, il battait l'eau de ses quatre pattes, et il revenait vers Vendredi, porté par le déferlement.

Ils arrivèrent ainsi près de la rizière qui brillait au soleil comme un miroir d'eau. Vendredi ramassa une pierre plate et la lança au ras de l'eau pour faire des ricochets. La pierre rebondit sept fois sur l'eau avant de s'y enfoncer sans éclaboussures. Ce que Vendredi n'avait pas prévu, c'est que Tenn s'élança à nouveau pour aller chercher la pierre. Son élan l'emporta à une vingtaine de mètres, mais là il s'arrêta : l'eau était trop peu profonde pour qu'il puisse nager, et il pataugeait dans la vase. Il fit demi-tour et s'efforça de revenir vers l'Indien. Un premier bond l'arracha à la boue, mais il retomba lourdement et il commença à se débattre avec des mouvements affolés. Il était en train de se noyer. Vendredi se pencha vers l'eau sale et dangereuse. Allait-il y sauter pour sauver Tenn ? Il eut une autre idée. Il courut à la vanne qui servait à vider l'eau. Il passa un bâton dans le premier trou de la queue et fit levier de toutes ses forces. Aussitôt l'eau commença à bouillonner de l'autre côté de la vanne, tandis que le niveau de la rizière baissait rapidement. Quelques minutes plus tard toute la rizière était à sec. La récolte était perdue, mais Tenn pouvait atteindre en rampant le pied de la digue.

Vendredi le laissa à sa toilette et se dirigea en dansant vers la forêt.

Lorsque Robinson sortit de la grotte où il était resté près de trente-six heures, il ne fut pas très surpris de ne plus retrouver Vendredi. Seul Tenn l'attendait fidèlement sur le seuil de la porte de la maison. Il avait d'ailleurs l'air gêné et coupable, ce pauvre Tenn, et c'est lui qui conduisit Robinson d'abord dans la plantation des cactus et des cactées où s'étalaient les plus beaux vêtements et tous les bijoux qui venaient de *La Virginie*, puis à la rizière où la récolte de l'année achevait de se dessécher au soleil. Robinson entra dans une grande colère. À tout hasard, il ferma la vanne d'évacuation de la rizière et ouvrit le canal d'alimentation. Peut-être les plants de riz voudraient-ils reprendre ? Ensuite il passa toute une journée à ramasser sur les cactus et les cactées en se piquant cruellement les doigts les vêtements et les bijoux qui étaient ce qu'il possédait de plus beau dans l'île. Il était d'autant plus furieux qu'il se sentait lui-même un peu coupable : s'il n'était pas descendu dans la grotte, tout cela ne serait pas arrivé.

Le lendemain, il se décida à partir à la recherche de Vendredi. Sa colère s'était calmée et l'absence de son compagnon commençait à l'inquiéter. Il entreprit donc de battre la forêt vierge avec l'aide de Tenn. Le chien qui avait bien compris qu'il fallait retrouver Vendredi fouillait les buissons, se glissait dans les fourrés, suivait des pistes dont l'odeur ressemblait à celle de Vendredi, et il aboyait pour prévenir Robinson quand il avait trouvé quelque chose. C'est ainsi qu'il découvrit dans une petite clairière ce qui devait être le camp secret de Vendredi. Il y avait d'abord entre deux arbres un hamac de lianes rembourré avec un oreiller et un matelas d'herbes sèches. C'était un lit suspendu, de toute évidence *très* confortable. Puis assis sur une espèce de fauteuil fait de branches d'arbre ligaturées[1], on découvrait une drôle de poupée en paille tressée avec une tête de bois et des cheveux longs en raphia[2]. Ainsi Vendredi pour n'être pas tout seul s'était fabriqué une fiancée ! Enfin Robinson vit, suspendus près du hamac à portée de la main de celui qui y était couché, un tas de petits objets à la fois utiles et amusants dont l'Indien devait agrémenter ses siestes. Il y avait ainsi une flûte en roseau, une sarbacane[3], des coiffes de plumes comme celles des Peaux-Rouges d'Amérique du Nord, des fléchettes, des peaux de serpent séchées, une espèce de petite guitare, etc. Robinson était stupéfait et jaloux de voir comme Vendredi avait l'air d'être heureux et de s'amuser sans lui ! À quoi donc servaient tous les travaux et toutes les obligations qu'il s'imposait chaque jour ?

Vendredi ne pouvait plus être loin. Tout à coup, Tenn tomba en arrêt devant un massif de magnolias envahi par le lierre, puis avança pas à pas, les oreilles dressées, le cou tendu. Enfin il s'arrêta, le nez contre l'un des troncs. Alors le tronc s'agita et le rire de Vendredi éclata. L'Indien avait dissimulé sa tête sous un casque de feuilles et de fleurs. Sur tout son corps, il avait dessiné avec du jus de genipapo – une plante qui donne une teinture verte quand on casse une de ses tiges – des rameaux et des feuilles qui montaient en s'enroulant le long de ses cuisses et de son torse. Ainsi déguisé en homme-plante et toujours riant aux éclats, il exécuta une danse triomphale autour de Robinson, puis il se sauva à toutes jambes vers la mer pour se laver dans les vagues.

1. **Ligaturées** : attachées avec un lien.
2. **Raphia** : fibre provenant de l'arbre du même nom.
3. **Sarbacane** : petit tube servant à lancer des projectiles par la force du souffle.

La vie reprit son cours tant bien que mal. Robinson faisait toujours semblant d'être le gouverneur et le général de l'île. Vendredi faisait semblant de travailler durement pour entretenir la civilisation dans l'île. Il n'y avait que Tenn qui ne faisait pas semblant de faire la sieste toute la journée. En vieillissant, il devenait de plus en plus gros et lent.

Vendredi, lui, avait trouvé un nouveau passe-temps. Il avait découvert la cachette où Robinson dissimulait le barillet à tabac et la longue pipe en porcelaine du capitaine van Deyssel. Chaque fois qu'il en avait l'occasion, il allait fumer une pipe dans la grotte. Si Robinson le découvrait, il le punirait sans doute lourdement, parce qu'il n'y avait presque plus de tabac. Fumer était un plaisir que Robinson ne s'accordait plus que très rarement, dans les grandes occasions.

Ce jour-là Robinson était descendu sur le rivage inspecter des lignes de fond[1] que la marée descendante venait de découvrir. Vendredi mit le barillet sous son bras, et il alla s'installer au fond de la grotte. Là, il s'était construit une sorte de chaise longue avec des tonneaux couverts de sacs. À demi renversé en arrière, il tire de longues bouffées de la pipe. Puis il chasse de ses poumons un nuage bleu qui s'épanouit dans la faible lumière provenant de l'entrée de la grotte. Il s'apprête à tirer une nouvelle bouffée de la pipe, quand des cris et des aboiements lointains lui parviennent.

---

1. **Lignes de fond**: lignes au fond de l'eau garnies d'hameçons.

1470 Robinson est revenu plus tôt que prévu, et il l'appelle d'une voix menaçante. Tenn jappe. Un claquement retentit. Robinson a donc sorti son fouet. Sans doute s'est-il enfin aperçu de la disparition du barillet de tabac? Vendredi se lève et marche vers le châtiment[1] qui l'attend. Soudain il s'arrête: que faire de 1475 la pipe qu'il tient toujours dans sa main? Il la jette de toutes ses forces dans le fond de la grotte, là où sont rangés les tonneaux de poudre. Puis, bravement, il va rejoindre Robinson. Robinson est furieux. Quand il voit Vendredi, il lève son fouet. C'est alors que les quarante tonneaux de poudre font explosion. Un torrent 1480 de flammes rouges jaillit de la grotte. Robinson se sent soulevé, emporté, tandis qu'il voit avant de s'évanouir les gros rochers qui surmontent la grotte rouler les uns sur les autres comme les pièces d'un jeu de construction.

---

1. **Châtiment**: punition.

En ouvrant les yeux, Robinson vit d'abord un visage penché sur
1485 lui. Vendredi lui soutenait la tête de la main gauche et essayait de lui faire boire de l'eau fraîche dans le creux de sa main droite. Mais Robinson serrait les dents, et l'eau coulait autour de sa bouche, dans sa barbe et sur sa poitrine.

L'Indien sourit et se releva en le voyant remuer. Aussitôt une
1490 partie de sa chemise et la jambe gauche de son pantalon, déchirés et noircis, tombèrent sur le sol. Il éclata de rire et se débarrassa par quelques contorsions du reste de ses vêtements. Puis il ramassa un morceau de miroir au milieu d'objets domestiques brisés, il s'y regarda en faisant des grimaces et le présenta à Robinson
1495 avec un nouvel éclat de rire. Il n'avait pas de blessure, mais il était barbouillé de suie, et sa belle barbe rousse était à moitié brûlée. Il se leva et arracha à son tour les loques carbonisées qui s'attachaient encore à lui. Il fit quelques pas. Il n'avait que quelques contusions[1] sous l'épaisse couche de suie, de poussière
1500 et de terre qui le couvrait.

La maison brûlait comme une torche. La muraille de la forteresse s'était effondrée dans le fossé qui la bordait. Tous les autres bâtiments, le temple, la banque, la bergerie, le mât-calendrier avaient été soufflés pêle-mêle par l'explosion. Les deux hommes
1505 contemplaient ce champ de désolation quand une gerbe de terre monta vers le ciel à une centaine de mètres, puis une demi-

1. **Contusions** : meurtrissures légères.

seconde plus tard une terrible explosion les jeta à nouveau sur le sol. Ensuite une grêle de cailloux et de racines arrachées crépita autour d'eux. C'était l'un des tonneaux de poudre que Robinson 1510 avait enfouis sur le chemin et qu'un cordon d'étoupe permettait d'enflammer à distance.

Épouvantées par cette seconde explosion beaucoup plus proche, les chèvres s'étaient précipitées toutes ensemble dans la direction opposée et avaient défoncé la clôture du corral. Elles galopaient 1515 maintenant dans tous les sens comme des folles. Elles allaient se disperser dans l'île et revenir à l'état sauvage.

L'entrée de la grotte était bouchée par un amoncellement[1] de rochers. L'un d'eux formait comme un pic au-dessus du chaos[2] et devait offrir un point de vue extraordinaire sur l'île et la mer. 1520 Robinson regardait autour de lui et ramassait machinalement les objets que la grotte avait vomis avant de se refermer. Il y avait un fusil au canon tordu, des sacs troués, des paniers défoncés. Vendredi l'imitait, mais au lieu d'aller déposer comme lui au pied du cèdre les objets qu'il avait trouvés, il achevait de les détruire. 1525 Robinson le laissait faire, mais il tressaillit[3] tout de même quand il le vit disperser à pleines poignées un peu de blé qui restait au fond d'un chaudron.

Le soir tombait, et ils venaient enfin de trouver un objet intact – la longue-vue – lorsqu'ils découvrirent le cadavre de Tenn au 1530 pied d'un arbre. Vendredi le palpa attentivement. Il n'avait rien de brisé apparemment, il semblait même n'avoir rien du tout. Pauvre Tenn, si vieux, si fidèle ! L'explosion l'avait peut-être fait mourir tout simplement de peur !

Le vent se leva. Ils allèrent ensemble se laver dans la mer. Puis 1535 ils partagèrent un ananas sauvage, et Robinson se souvint que c'était la première chose qu'il eût mangée dans l'île après le

1. **Amoncellement** : tas.
2. **Chaos** : entassement de pierres et de rochers.
3. **Tressaillit** : sursauta, frémit.

naufrage. Enfin ils s'étendirent au pied du grand cèdre pour essayer de dormir.

Robinson réfléchissait en regardant la lune entre les branches
1540 noires du cèdre. Ainsi toute l'œuvre qu'il avait accomplie sur l'île, ses cultures, ses élevages, ses constructions, toutes les provisions qu'il avait accumulées dans la grotte, tout cela était perdu par la faute de Vendredi. Et pourtant il ne lui en voulait pas. La vérité, c'est qu'il en avait assez depuis longtemps de cette organisation
1545 ennuyeuse et tracassière[1], mais qu'il n'avait pas le courage de la détruire. Maintenant, ils étaient libres tous les deux. Robinson se demandait avec curiosité ce qui allait se passer, et il comprenait que ce serait désormais Vendredi qui mènerait le jeu.

Il regardait toujours le ciel en réfléchissant, quand il vit tout à
1550 coup la lune glisser très vite derrière une branche et reparaître de l'autre côté. Puis elle s'arrêta, et tout de suite après recommença à glisser dans le ciel noir. Au même moment un épouvantable craquement retentit. Robinson et Vendredi sautèrent sur leurs pieds. Ce n'était pas la lune qui bougeait, c'était l'arbre qui était
1555 en train de s'écrouler. Miné par l'explosion, le grand cèdre n'avait pu résister au vent de la nuit. Il s'abattit dans la forêt en écrasant sous lui des dizaines d'arbustes, et le sol trembla sous le choc de l'énorme tronc.

---

1. **Tracassière** : qui suscite du tracas, des difficultés.

Vendredi commença leur nouvelle vie par une longue période de siestes. Il passait des journées entières dans le hamac de lianes tressées qu'il avait tendu entre deux palmiers au bord de la mer. Il bougeait si peu que les oiseaux venaient se poser dans les arbres tout près de lui. Alors il tirait sur eux avec sa sarbacane, et, le soir, il faisait rôtir avec Robinson le produit de cette sorte de chasse, certainement la méthode la plus paresseuse qui existât.

De son côté, Robinson avait commencé à se transformer complètement. Avant il portait des cheveux très courts, presque ras, et au contraire une grande barbe qui lui donnait un air de grand-père. Il coupa sa barbe – qui avait été d'ailleurs déjà abîmée par l'explosion – et il laissa pousser ses cheveux qui formèrent des boucles dorées sur toute sa tête. Du coup il paraissait beaucoup plus jeune, presque le frère de Vendredi. Il n'avait plus du tout la tête d'un gouverneur et encore moins d'un général.

Son corps aussi s'était transformé. Il avait toujours craint les coups de soleil, d'autant plus qu'il était roux. Quand il devait rester au soleil, il se couvrait des pieds à la tête, mettait un chapeau et n'oubliait pas de surcroît sa grande ombrelle en peau de chèvre. Aussi il avait une peau blanche et fragile comme celle d'une poule plumée.

Encouragé par Vendredi, il commença à s'exposer nu au soleil. D'abord il avait été tout recroquevillé, laid et honteux. Puis il s'était épanoui. Sa peau avait durci et avait une teinte cuivrée. Il était fier maintenant de sa poitrine bombée et de ses muscles

saillants. Il s'exerçait avec Vendredi à toutes sortes de jeux. Ils
1585 faisaient la course sur le sable, ils se défiaient à la nage, au saut en hauteur, au lancer des bolas. Robinson avait appris également à marcher sur les mains, comme son compagnon. Il faisait « les pieds au mur » contre un rocher, puis il se détachait de ce point d'appui et partait lourdement, encouragé par les applaudisse-
1590 ments de Vendredi.

Mais surtout il regardait faire Vendredi, il l'observait, et il apprenait grâce à lui comment on doit vivre sur une île déserte du Pacifique.

Par exemple, Vendredi passait de longues heures à confectionner
1595 des arcs et des flèches. Il tailla d'abord des arcs *simples* dans les bois les plus souples, comme le noisetier, le santal, l'amarante ou le copaïba[1]. Puis selon la technique chilienne, il fabriqua des arcs composites – formés de plusieurs pièces – plus puissants et plus durables. Sur un arc simple, il ligaturait des lamelles de cornes
1600 de boucs qui ajoutaient leur propre élasticité à celle du bois.

Mais c'était surtout aux flèches qu'il consacrait le plus de travail, car s'il augmentait sans cesse la puissance de ses arcs, c'était pour pouvoir envoyer des flèches de plus en plus longues. Il en arriva bientôt à faire des flèches d'un mètre cinquante. La flèche se
1605 compose de trois parties : la pointe, le fût et l'empennage[2]. Vendredi passait des heures à équilibrer ces trois éléments en faisant osciller[3] le fût sur l'arête d'une pierre. Rien de plus important pour l'efficacité d'une flèche que le rapport du poids de la pointe et de celui de l'empennage. Vendredi empennait ses flèches
1610 autant qu'il le pouvait, en utilisant des plumes d'oiseaux ou des feuilles de palmier. D'autre part il se servait pour les pointes non de pierre ou de métal, mais d'os, surtout d'omoplates de

1. **Noisetier, santal, amarante, copaïba** : arbres, pour la plupart originaires des régions tropicales.
2. **Fût** : tige de bois ; **empennage** : ensemble des ailettes servant à assurer l'équilibre de la flèche dans l'air.
3. **Osciller** : mettre en équilibre.

chèvres dans lesquelles il découpait ses pointes en forme d'ailettes. Robinson finit par comprendre que Vendredi ne cherchait pas
1615 à obtenir des projectiles précis et puissants destinés à percer des oiseaux ou des lapins. Non, ce qu'il voulait, c'était que ses flèches volent le plus haut, le plus loin et le plus longtemps possible. Il envoyait ses flèches, non pour tuer, mais pour le plaisir de les voir planer dans le ciel, comme des mouettes.

1620 Un jour que le vent marin assez vif faisait moutonner[1] les vagues, Robinson observait Vendredi qui tirait des flèches droit vers le soleil. Il en prit une particulièrement longue – elle dépassait deux mètres – empennée sur au moins cinquante centimètres avec des plumes d'albatros[2]. Puis il banda l'arc de toutes ses forces en
1625 visant à quarante-cinq degrés vers la forêt. La corde en se détendant fouetta le brassard de cuir qu'il nouait sur son avant-bras gauche pour le protéger. La flèche monta jusqu'à une hauteur de cent mètres au moins. Là, elle parut hésiter, mais au lieu de repiquer vers la plage, emportée par le vent, elle fila vers la forêt.
1630 Lorsqu'elle eut disparu derrière les premiers arbres, Vendredi se tourna avec un large sourire vers Robinson.

– Elle va tomber dans les branches, tu ne la retrouveras pas, dit Robinson.

– Je ne la retrouverai pas, dit Vendredi, mais c'est parce que
1635 celle-là ne retombera jamais.

1. **Moutonner** : se couvrir d'écume.
2. **Albatros** : oiseau marin.

Avant l'explosion, Robinson faisait faire à Vendredi le genre de cuisine qu'il avait apprise dans sa famille à York. Si au début de son séjour dans l'île il avait été obligé de faire rôtir sa viande sur un feu vif, il était bien vite revenu ensuite à des recettes proches du bœuf bouilli, le plat le plus en faveur chez les Anglais de cette époque. Mais maintenant, Vendredi lui apprenait des recettes qui étaient celles des tribus araucaniennes, ou qu'il inventait tout simplement.

L'idéal pour Vendredi, c'était certes de manger le mieux possible, mais n'importe où, n'importe quand, et surtout sans avoir besoin d'une cuisine et d'ustensiles. L'explosion avait détruit les plats et les casseroles qu'il y avait dans l'île. Par exemple la plupart des oiseaux qu'ils mangeaient, Vendredi les préparait *à l'argile.* C'est la façon la plus simple et la plus amusante de faire cuire un poulet ou tout autre volatile :

Vendredi le vidait et mettait dans son ventre du sel, du poivre, et à volonté des herbes aromatiques ou même un peu de farce, mais ce n'est pas indispensable. *Il lui laissait toutes ses plumes.* Ensuite il préparait de l'argile mouillée – pas trop mouillée, mais assez pour qu'elle soit facile à modeler et à pétrir – il en faisait une galette bien plate. Puis il roulait cette galette autour de l'oiseau, il l'enfermait bien dans la pâte, il faisait autour de lui comme une boule d'argile qui ressemblait à un gros œuf ou à un ballon de rugby, selon la grosseur. La couche d'argile devait avoir de un à trois centimètres. Il faisait dans un trou un feu de

bois assez nourri, car il fallait beaucoup de braises. Quand le feu était bien pris, il mettait la boule d'argile dans le trou, au milieu des braises. Ensuite il entretenait le feu une heure ou deux. L'argile séchait et durcissait comme une poterie. Quand la boule
1665 était devenue bien dure, il la sortait du trou et il la cassait. Les plumes restaient collées à l'argile, et l'oiseau était cuit comme au four, tendre et savoureux.

Mais ce qui plaisait surtout à Vendredi, dans cette façon de faire, c'était qu'on cassait chaque fois la boule de terre cuite où l'oiseau
1670 avait été enfermé, et ainsi pas de vaisselle à laver, ni à ranger.

Pour les œufs, Robinson avait l'habitude de les mettre dans l'eau bouillante plus ou moins longtemps pour qu'ils soient coque, mollets ou durs. Vendredi lui apprit qu'on pouvait se passer de casserole et d'eau. En les transperçant de part en part avec un
1675 bâtonnet pointu, il confectionna une sorte de *broche à œuf* qu'il faisait tourner au-dessus du feu.

Robinson avait toujours cru qu'un bon cuisinier ne doit pas mélanger la viande et le poisson, le sel et le sucre. Vendredi lui montra que ces mélanges sont quelquefois possibles, et même
1680 succulents. Par exemple, avant de faire rôtir une tranche de pécari, il faisait avec la pointe du couteau une série de fentes profondes dans l'épaisseur de la viande et, dans chaque fente, il glissait une huître ou une moule crue. La viande farcie de coquillages avait un goût délicieux.

1685 Pour mélanger le sucré et le salé, il entourait un poisson d'une garniture d'ananas, ou il farcissait un lapin avec des prunes. Mais surtout, il apprit à Robinson à faire du sucre. Il lui montra une sorte de palmier ventru, plus gros au centre qu'à la base et au sommet, bref en forme de quille. Quand on l'abat et quand on
1690 coupe ses feuilles, on voit aussitôt des gouttes de sève épaisse et sucrée se mettre à couler. Il est préférable que l'arbre soit exposé au soleil, et il faut que le sommet – d'où la sève coule – soit posé *plus haut* que la base, ce qui n'est pas étonnant puisque la sève a tendance normalement à *monter* dans le tronc de l'arbre. Ce

1695 sucre liquide peut couler des mois, à condition qu'on rafraîchisse régulièrement la tranche, car les pores[1] d'où il sort ont tendance à se boucher.

Vendredi montra à Robinson qu'en exposant au feu cette mélasse[2], elle se caramélisait. Il en enduisait des fruits qu'il rôtissait à la 1700 broche, mais aussi des viandes, et même des poissons.

1. **Pores** : minuscules trous.
2. **Mélasse** : sirop.

Pourtant, c'est à propos d'un plat cuisiné que pour la première fois Robinson et Vendredi se disputèrent. Autrefois – avant l'explosion – il ne pouvait pas y avoir de dispute entre eux. Robinson était le maître. Vendredi n'avait qu'à obéir. Robinson pouvait
1705 réprimander[1], ou même battre Vendredi. Maintenant, Vendredi était libre. Il était l'égal de Robinson. Aussi ils pouvaient se fâcher l'un contre l'autre.

C'est ce qui arriva lorsque Vendredi prépara dans un grand coquillage une quantité de rondelles de serpent avec une gar-
1710 niture de sauterelles. Depuis plusieurs jours d'ailleurs, il agaçait Robinson. Rien de plus dangereux que l'agacement quand on doit vivre seul avec quelqu'un. Robinson avait eu la veille une indigestion de filets de tortue aux myrtilles. Et voilà que Vendredi lui mettait sous le nez cette fricassée de python et d'insectes !
1715 Robinson eut un haut-le-cœur[2] et envoya d'un coup de pied la grande coquille rouler dans le sable avec son contenu. Vendredi furieux la ramassa et la brandit à deux mains au-dessus de la tête de Robinson.

Les deux amis allaient-ils se battre ? Non ! Vendredi se sauva.
1720 Deux heures plus tard, Robinson le vit revenir en traînant derrière lui sans douceur une sorte de mannequin. La tête était faite dans une noix de coco, les jambes et les bras dans des tiges

1. **Réprimander** : gronder.
2. **Haut-le-cœur** : nausée.

de bambou. Surtout, il était habillé avec des vieux vêtements de Robinson, comme un épouvantail à oiseaux. Sur la noix de coco, 1725 coiffée d'un chapeau de marin, Vendredi avait dessiné le visage de son ami. Il planta le mannequin debout près de Robinson.

– Je te présente Robinson Crusoé, gouverneur de l'île de Speranza, lui dit-il.

Puis il ramassa la coquille sale et vide qui était toujours là et, 1730 avec un rugissement, il la brisa sur la noix de coco qui s'écroula au milieu des tubes de bambou brisés. Ensuite Vendredi éclata de rire, et alla embrasser Robinson.

Robinson comprit la leçon de cette étrange comédie. Un jour que Vendredi mangeait des gros vers de palmier vivants roulés 1735 dans des œufs de fourmis, Robinson exaspéré alla sur la plage. Dans le sable mouillé, il sculpta une sorte de statue couchée à plat ventre avec une tête dont les cheveux étaient des algues. On ne voyait pas la figure cachée dans l'un des bras replié, mais le corps brun et nu ressemblait à Vendredi. Robinson avait à peine 1740 terminé son œuvre quand Vendredi vint le rejoindre, la bouche encore pleine de vers de palmier.

– Je te présente Vendredi, le mangeur de serpents et de vers, lui dit Robinson en lui montrant la statue de sable.

Puis il cueillit une branche de coudrier[1] qu'il débarrassa de 1745 ses rameaux et de ses feuilles, et il se mit à fouetter le dos et les fesses du Vendredi de sable qu'il avait fabriqué dans ce but.

Dès lors, ils vécurent à quatre sur l'île. Il y avait le vrai Robinson et la poupée Robinson, le vrai Vendredi et la statue de Vendredi, et tout ce que les deux amis auraient pu se faire de mal – les 1750 injures, les coups, les colères – ils le faisaient à la copie de l'autre. Entre eux ils n'avaient que des gentillesses.

---

1. **Coudrier**: noisetier.

Pourtant Vendredi trouva moyen d'inventer un autre jeu encore plus passionnant et curieux que celui des deux copies.

Un après-midi, il réveilla assez rudement Robinson qui faisait la sieste sous un eucalyptus[1]. Il s'était fabriqué un déguisement dont Robinson ne comprit pas tout de suite le sens. Il avait enfermé ses jambes dans des guenilles[2] nouées en pantalon. Une courte veste couvrait ses épaules. Il portait un chapeau de paille, ce qui ne l'empêchait pas de s'abriter sous une ombrelle de palmes. Mais surtout, il s'était fait une fausse barbe en se collant des touffes de coton sur les joues.

– Sais-tu qui je suis ? demanda-t-il à Robinson en déambulant majestueusement[3] devant lui.

– Non.

– Je suis Robinson Crusoé, de la ville d'York en Angleterre, le maître du sauvage Vendredi !

– Et moi, alors, qui suis-je ? demanda Robinson stupéfait.

– Devine !

Robinson connaissait trop bien Vendredi pour ne pas comprendre à demi-mot ce qu'il voulait. Il se leva et disparut dans la forêt.

Si Vendredi était Robinson, le Robinson d'autrefois, maître de l'esclave Vendredi, il ne restait à Robinson qu'à devenir

1. **Eucalyptus** : arbre dont les feuilles sont odorantes.
2. **Guenilles** : vêtements en lambeaux.
3. **En déambulant majestueusement** : en paradant, en marchant avec un air de grandeur.

Vendredi, le Vendredi esclave d'autrefois. En réalité, il n'avait plus sa barbe carrée et ses cheveux rasés d'avant l'explosion, et
1775 il ressemblait tellement à Vendredi qu'il n'avait pas grand-chose à faire pour jouer son rôle. Il se contenta de se frotter la figure et le corps avec du jus de noix pour se brunir et d'attacher autour de ses reins le pagne de cuir des Araucans que portait Vendredi le jour où il débarqua dans l'île. Puis il se présenta
1780 à Vendredi et lui dit :

– Voilà, je suis Vendredi !

Alors Vendredi s'efforça de faire de longues phrases dans son meilleur anglais, et Robinson lui répondit avec les quelques mots d'araucan qu'il avait appris du temps que Vendredi ne
1785 parlait pas du tout anglais.

– Je t'ai sauvé de tes congénères[1] qui voulaient te sacrifier aux puissances maléfiques, dit Vendredi.

Et Robinson s'agenouilla par terre, il inclina sa tête jusqu'au sol en grommelant[2] des remerciements éperdus[3]. Enfin prenant
1790 le pied de Vendredi, il le posa sur sa nuque.

Ils jouèrent souvent à ce jeu. C'était toujours Vendredi qui en donnait le signal. Dès qu'il apparaissait avec son ombrelle et sa fausse barbe, Robinson comprenait qu'il avait en face de lui Robinson, et que lui-même devait jouer le rôle de Vendredi. Ils
1795 ne jouaient d'ailleurs jamais des scènes inventées, mais seulement des épisodes de leur vie passée, alors que Vendredi était un esclave apeuré et Robinson un maître sévère. Ils représentaient l'histoire des cactus habillés, celle de la rizière asséchée, celle de la pipe fumée en cachette près de la réserve de poudre.
1800 Mais aucune scène ne plaisait autant à Vendredi que celle du début, quand il fuyait les Araucans qui voulaient le sacrifier, et quand Robinson l'avait sauvé.

---

1. **Congénères** : semblables.
2. **En grommelant** : en marmonnant.
3. **Éperdus** : affolés, agités.

Robinson avait compris que ce jeu faisait du bien à Vendredi parce qu'il le guérissait du mauvais souvenir qu'il avait de sa vie d'esclave. Mais à lui aussi Robinson, ce jeu faisait du bien, parce qu'il avait toujours un peu de remords d'avoir été un maître dur pour Vendredi.

1805

Un jour, Vendredi revint d'une promenade en portant un petit tonneau sur son épaule. Il l'avait trouvé à proximité de l'ancienne forteresse, en creusant le sable pour attraper un lézard.

Robinson réfléchit longtemps, puis il se souvint qu'il avait enterré deux tonneaux de poudre reliés à la forteresse par un cordon d'étoupe qui permettait de les faire exploser à distance. Seul l'un des deux avait explosé peu après la grande catastrophe. Vendredi venait donc de retrouver l'autre. Robinson fut surpris de le voir si heureux de sa trouvaille.

– Qu'allons-nous faire de cette poudre, tu sais bien que nous n'avons plus de fusil ?

Pour toute réponse, Vendredi introduisit la pointe de son couteau dans la fente du couvercle et ouvrit le tonnelet. Puis il y plongea la main et en retira une poignée de poudre qu'il jeta dans le feu. Robinson avait reculé en craignant une explosion. Il n'y eut pas d'explosion, seulement une grande flamme verte qui se dressa avec un souffle de tempête et disparut aussitôt.

– Tu vois, expliqua Vendredi, le fusil est la façon la moins jolie de brûler la poudre. Enfermée dans le fusil, la poudre crie et devient méchante. Laissée en liberté, elle est belle et silencieuse.

Puis il invita Robinson à jeter lui-même une poignée de poudre dans le feu mais, cette fois, il sauta en l'air en même temps que la flamme, comme s'il voulait danser avec elle. Et ils recommencèrent, et encore, et encore, et il y avait ainsi de grands rideaux de feu verts et mouvants, et sur chacun d'eux la silhouette noire de Vendredi dans une attitude différente.

1835 Plus tard, ils inventèrent une autre façon de jouer avec la poudre. Ils recueillirent de la résine de pin dans un petit pot. Cette résine – qui brûle déjà très bien – ils la mélangèrent avec la poudre. Ils obtinrent ainsi une pâte noire, collante et terriblement inflammable. Avec cette pâte, ils couvrirent le tronc 1840 et les branches d'un arbre mort qui se dressait au bord de la falaise. La nuit venue ils y mirent le feu : alors tout l'arbre se couvrit d'une carapace d'or palpitant, et il brûla jusqu'au matin, comme un grand candélabre de feu.

Ils travaillèrent plusieurs jours à convertir[1] toute la poudre 1845 en pâte à feu et à en enduire tous les arbres morts de l'île. La nuit, quand ils s'ennuyaient et ne trouvaient pas le sommeil, ils allaient ensemble allumer un arbre. C'était leur fête nocturne et secrète.

---

1. **Convertir** : transformer.

Au cours des années qui avaient précédé l'explosion et la destruction de l'île civilisée, Robinson s'était efforcé d'apprendre l'anglais à Vendredi. Sa méthode était simple. Il lui montrait une marguerite, et il lui disait :

– Marguerite.

Et Vendredi répétait :

– Marguerite.

Et Robinson corrigeait sa prononciation défectueuse[1] aussi souvent qu'il le fallait. Ensuite, il lui montrait un chevreau, un couteau, un perroquet, un rayon de soleil, un fromage, une loupe, une source, en prononçant lentement :

– Chevreau, couteau, perroquet, soleil, fromage, loupe, source.

Et Vendredi répétait après lui, et répétait aussi longtemps que le mot ne se formait pas correctement dans sa bouche.

Lorsque la catastrophe s'était produite, Vendredi savait depuis longtemps assez d'anglais pour comprendre les ordres que lui donnait Robinson et nommer tous les objets utiles qui les entouraient. Un jour cependant, Vendredi montra à Robinson une tache blanche qui palpitait dans l'herbe, et il lui dit :

– Marguerite.

– Oui, répondit Robinson, c'est une marguerite.

Mais à peine avait-il prononcé ces mots que la marguerite battait des ailes et s'envolait.

---

1. **Défectueuse** : qui présente des défauts, des imperfections.

– Tu vois, dit-il aussitôt, nous nous sommes trompés. Ce n'était pas une marguerite, c'était un papillon.

– Un papillon blanc, rétorqua Vendredi, c'est une marguerite 1875 qui vole.

Avant la catastrophe, quand il était le maître de l'île et de Vendredi, Robinson se serait fâché. Il aurait obligé Vendredi à reconnaître qu'une fleur est une fleur, et un papillon un papillon. Mais là, il se tut et réfléchit.

1880 Plus tard, Vendredi et lui se promenaient sur la plage. Le ciel était bleu, sans nuages, mais comme il était encore très matin, on voyait le disque blanc de la lune à l'ouest. Vendredi qui ramassait des coquillages montra à Robinson un petit galet qui faisait une tache blanche et ronde sur le sable pur et propre. Alors, il leva 1885 la main vers la lune et dit à Robinson :

– Écoute-moi. Est-ce que la lune est le galet du ciel, ou est-ce ce petit galet qui est la lune du sable ?

Et il éclata de rire, comme s'il savait d'avance que Robinson ne pourrait pas répondre à cette drôle de question.

1890 Puis il y eut une période de mauvais temps. Des nuages noirs s'amoncelèrent au-dessus de l'île, et bientôt la pluie se mit à crépiter sur les feuillages, à faire jaillir des milliards de petits champignons à la surface de la mer, à ruisseler sur les rochers. Vendredi et Robinson s'étaient abrités sous un arbre. Vendredi s'échappa 1895 soudain et s'exposa à la douche. Il renversait son visage en arrière et laissait l'eau couler sur ses joues. Il s'approcha de Robinson.

– Regarde, lui dit-il, les choses sont tristes, elles pleurent. Les arbres pleurent, les rochers pleurent, les nuages pleurent, et moi, je pleure avec eux. Ouh, ouh, ouh ! La pluie, c'est le grand 1900 chagrin de l'île et de tout…

Robinson commençait à comprendre. Il acceptait peu à peu que les choses les plus éloignées les unes des autres – comme la lune et un galet, les larmes et la pluie – puissent se ressembler au point d'être confondues, et que les mots volent d'une chose 1905 à une autre, même si ça devait un peu embrouiller les idées.

Il entra tout à fait dans le jeu quand Vendredi lui expliqua les règles du *Portrait araucan en cinq touches*. Vendredi lui disait par exemple :

– C'est une mère qui te berce, c'est un cuisinier qui sale ta
1910 soupe, c'est une armée de soldats qui te retient prisonnier, c'est une grosse bête qui se fâche, hurle et trépigne quand il fait du vent, c'est une peau de serpent aux mille écailles qui miroitent au soleil. Qu'est-ce que c'est ?

– C'est l'Océan ! triompha Robinson.

1915 Et pour montrer qu'il avait compris la règle du jeu, il interrogea Vendredi à son tour :

– C'est une toison géante où deux hommes sont cachés comme des puces, c'est le sourcil qui se fronce au-dessus du gros œil de la mer, c'est un peu de vert sur beaucoup de bleu, c'est un peu
1920 d'eau douce dans beaucoup d'eau salée, c'est un bateau toujours immobile à l'ancre. Qu'est-ce que c'est ?

– C'est notre île, Speranza, s'écria Vendredi, et il posa à son tour une autre devinette :

– Si c'était un arbre, ce serait un palmier à cause des poils
1925 fauves qui en couvrent le tronc. Si c'était un oiseau, ce serait le corbeau du Pacifique à cause de son cri rauque et aboyant, si c'était une partie de mon corps, ce serait ma main gauche à cause de la fidélité avec laquelle elle aide ma main droite. Si c'était un poisson ce serait le brochet chilien à cause de ses dents aiguisées.
1930 Si c'était un fruit, ce serait deux noisettes, à cause de ses petits yeux bruns. Qu'est-ce que c'est ?

– C'est Tenn, notre bon chien, répondit Robinson. Je l'ai reconnu avec son poil fauve, son aboiement, sa fidélité, ses crocs aiguisés et ses petits yeux noisette.

1935 Mais parce qu'il évoquait le souvenir du bon Tenn disparu, Robinson sentit une tristesse l'envahir, et une drôle de boule se gonfler dans sa gorge et l'empêcher de parler.

Vendredi s'en aperçut et s'en voulut de sa maladresse.

Un matin, Vendredi fut réveillé par la voix de Robinson qui
1940 l'appelait par son nom. Il se dressa sur son séant[1] et regarda autour de lui. Personne! Pourtant il n'avait pas rêvé. Tout à coup, juste au-dessus de sa tête, partant des branches de l'arbuste sous lequel il avait dormi, l'appel retentit à nouveau:

– Vendredi! Vendredi!

1945 Il se leva et inspecta le feuillage du petit arbre. C'est alors qu'il vit un oiseau vert et gris s'enfuir à tire-d'aile avec une espèce de ricanement dans la direction d'un petit bois où les deux amis allaient rarement.

Il voulut en avoir le cœur net et se dirigea vers ce point de
1950 l'île. Il n'eut pas à chercher longtemps: l'un des plus beaux arbres – un tulipier – paraissait chargé de gros fruits bizarres… qui se révélèrent en réalité comme autant de nids de perroquets.

L'après-midi, il revint avec Robinson. Les perroquets faisaient un grand vacarme de caquetages dans les branches du tulipier,
1955 mais ils se turent soudain en voyant approcher les deux amis, et c'est dans un grand silence que Vendredi et Robinson s'arrêtèrent sous l'arbre.

– Je n'ai jamais vu de perroquets dans l'île, dit Robinson. Ils ont dû tous arriver en même temps pour pondre leurs œufs et
1960 viennent sans doute d'une autre île pas trop éloignée.

1. **Se dressa sur son séant**: se mit en position assise.

Vendredi ouvrait la bouche pour lui répondre, mais il fut interrompu par la cacophonie des perroquets qui se remettaient tous à parler ensemble. *Jamais vu, jamais vu, jamais vu,* criait l'un, *une autre île, une autre île, une autre île,* répétait un autre, *arriver en*
1965 *même temps, arriver en même temps, arriver en même temps,* caquetait un troisième, et tout un groupe d'oiseaux verts perchés sur la plus proche branche leur cornaient[1] aux oreilles *trop éloignée, trop éloignée, trop éloignée.*

Assourdis par tout ce bruit, Vendredi et Robinson s'enfuirent
1970 jusque vers les grands pins qui bordaient la plage.

– C'est bien la première fois depuis mon naufrage que je suis gêné par des bruits de voix, s'écria Robinson qui se souvenait de ses longues années de solitude.

– *Bruits de voix, bruits de voix, bruits de voix!* glapit une voix aigre[2]
1975 dans les branches du pin le plus proche.

Il fallut fuir encore plus loin, au bord de la mer, à l'endroit où les vagues croulent sur le sable mouillé.

Dès lors, Robinson et Vendredi eurent la plus grande difficulté à échanger des phrases sans qu'aussitôt une voix moqueuse, par-
1980 tant du buisson ou de l'arbuste voisin, ne vienne les interrompre en répétant certains mots qu'ils avaient prononcés. Exaspéré, Robinson ne se déplaçait plus qu'avec un bâton qu'il lançait rageusement dans la direction d'où venait la voix. Jamais il n'atteignit un perroquet, mais souvent on en voyait un s'enfuir avec
1985 un cri qui ressemblait à un rire moqueur.

– En vérité, lui dit Vendredi quelques jours plus tard, je crois que c'est une bonne leçon. Nous parlons trop. Il n'est pas toujours bon de parler. Dans ma tribu, chez les Araucans, plus on est sage, moins on parle. Plus on parle, moins on est respecté. Les
1990 animaux les plus bavards sont les singes et, parmi les hommes, ce sont les petits enfants et les vieilles femmes qui parlent le plus.

---

1. **Cornaient** : criaient.
2. **Aigre** : aiguë, perçante.

Et il ne se laissa pas troubler par le cri qui retentit presque sous ses pieds et qui répétait *petits enfants, petits enfants, petits enfants.* Il montra à Robinson un certain nombre de gestes des mains qui pouvaient exprimer les choses les plus importantes.

Ainsi ce geste signifiait :

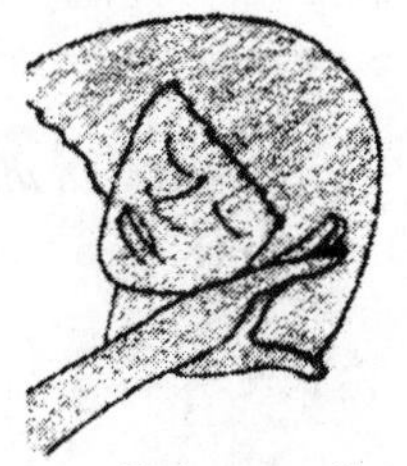

J'ai sommeil.

Cet autre :

J'ai faim.

Celui-ci :

J'ai soif.

En voici quelques autres grâce auxquels les deux amis se comprenaient en silence :

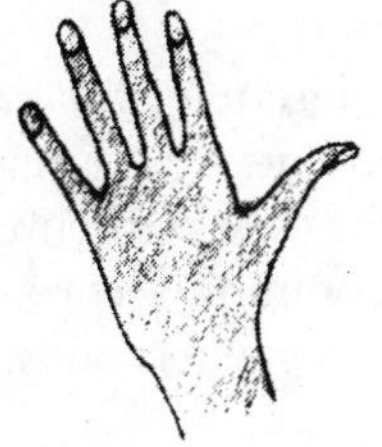

Attention !

Il faut partir !

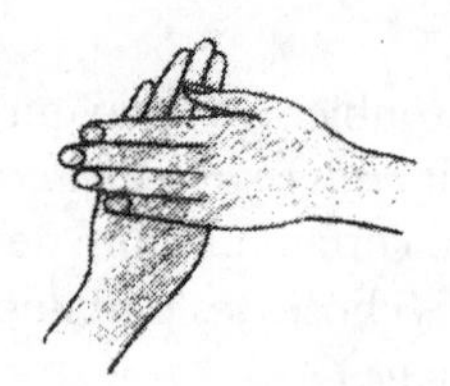

Il faut se cacher !

Il va faire chaud.

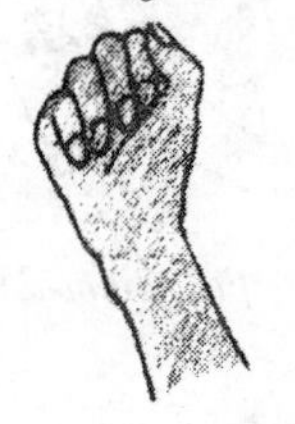

Il va pleuvoir.

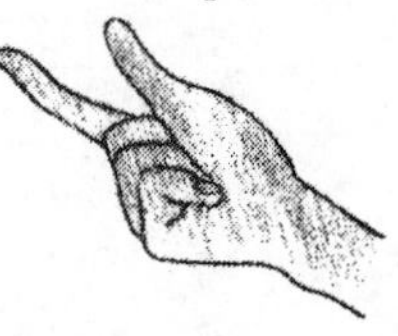

Un oiseau est là.

Un pécari est là.

Ainsi Robinson et Vendredi restèrent-ils silencieux plusieurs semaines. Un matin, les œufs des perroquets ayant éclos et leurs petits ayant appris à voler, il y eut un grand rassemblement caquetant sur le rivage. Puis d'un seul coup, au moment où le soleil se levait, tous les oiseaux s'envolèrent vers le large, et on vit décroître et disparaître à l'horizon un gros nuage rond et vert comme une pomme.

Robinson et Vendredi se remirent à parler avec leur bouche, et ils furent tout heureux d'entendre à nouveau le son de leurs propres voix. Mais l'expérience avait été heureuse et salutaire[1], et souvent, désormais, d'un commun accord, ils se taisaient et ne communiquaient plus qu'avec leurs mains.

1. **Salutaire** : bénéfique, profitable.

Arrêt sur lecture 3

Un quiz pour commencer

Cochez les bonnes réponses.

❶ *Pourquoi Robinson ne se sert-il pas de* L'Évasion *avec son nouveau compagnon ?*

- ❒ Parce que le bateau est bien trop lourd pour être mis à la mer.
- ❒ Parce que le bateau a été dévoré par les termites.
- ❒ Parce que le bateau a été détruit pendant un orage.

❷ *Pourquoi Robinson appelle-t-il l'Indien « Vendredi » ?*

- ❒ Parce que c'est le jour de leur rencontre.
- ❒ Parce que c'est un nom qui appartient à la culture de l'Indien.
- ❒ Parce qu'il considère que le vendredi est un jour qui porte chance.

❸ *Quel type d'embarcation Vendredi construit-il peu après son arrivée sur l'île ?*

- ❒ Un radeau.
- ❒ Un canoë.
- ❒ Une pirogue.

❹ *Quelle bêtise Vendredi commet-il quand Robinson est dans la grotte ?*

- ❒ Il met le feu aux signaux d'alerte.
- ❒ Il assèche la rizière.
- ❒ Il libère les chèvres.

❺ *Quelle catastrophe Vendredi provoque-t-il ?*

- ❒ L'explosion de la grotte.
- ❒ L'inondation des champs cultivés.
- ❒ L'incendie de la forêt.

❻ *Comment Tenn meurt-il ?*

- ❒ En se noyant.
- ❒ En tombant dans un ravin.
- ❒ En se faisant surprendre par l'explosion.

❼ *Quel est le passe-temps favori de Vendredi après la catastrophe ?*

- ❒ Se baigner.
- ❒ Faire la sieste.
- ❒ Manger.

❽ *Que font Robinson et Vendredi pour éviter de se battre ?*

- ❒ Ils se parlent longuement.
- ❒ Ils se défient à la course.
- ❒ Ils fabriquent des doubles à leur image et frappent ces marionnettes quand ils sont énervés.

Des questions pour aller plus loin

☛ Comprendre la relation entre Robinson et Vendredi

De la servitude…

❶ Dans le quinzième chapitre (p. 71-74), quelles décisions Robinson prend-il à l'égard de l'Indien ? Page 71, relevez les deux noms communs désignant chacun des personnages et définissant la nature de leur relation.
❷ Comment Vendredi réussit-il à s'attirer la bienveillance de Robinson (p. 72-74) ? De quelle qualité Vendredi fait-il alors preuve ?
❸ Pourquoi Vendredi obéit-il à Robinson ? Que ressent-il vis-à-vis des règles que lui impose son maître ?
❹ Donnez trois situations où Vendredi désobéit à Robinson.
❺ Dans le dix-huitième chapitre (p. 82-83), que découvre Robinson sur les loisirs secrets de Vendredi ? Quels sentiments éprouve-t-il lors de cet épisode ?

… à l'amitié

❻ Quel événement marque un tournant dans la relation de Vendredi et de Robinson ? Pourquoi, selon vous ?
❼ Robinson se met-il en colère contre Vendredi à la suite de cet événement ? Pourquoi ?
❽ Dans le vingt-et-unième chapitre (p. 89-91), quels changements physiques s'opèrent chez Robinson ? En quoi cette transformation le rapproche-t-elle de Vendredi ?
❾ Relisez les pages 89 à 91. Résumez les différentes activités auxquelles Vendredi initie Robinson.

⑩ Que prouve la dispute de Robinson et de Vendredi sur la nature de leurs liens (p. 95) ?
⑪ Au vingt-quatrième chapitre (p. 97-99), Vendredi invente un nouveau jeu. En quoi consiste-t-il ? Pourquoi Robinson accepte-t-il d'y jouer ?

Une approche ludique et poétique du monde

⑫ À quoi servent les flèches que fabrique Vendredi ? Justifiez votre réponse par quelques citations.
⑬ Donnez un exemple d'objet que Vendredi et Robinson utilisent pour sa beauté et non pour son utilité.
⑭ Avant l'explosion de la grotte, comment Robinson apprend-il sa langue à Vendredi ? Qu'est-ce que cela révèle sur l'utilisation du langage par Robinson ?
⑮ Pourquoi peut-on dire que Vendredi décrit le monde avec un regard poétique ?
⑯ Qu'impose la présence des perroquets à Robinson et Vendredi ? Quelle leçon de vie les deux amis en tirent-ils ?

Rappelez-vous !
Dans le roman de Daniel Defoe, Robinson est le maître de Vendredi jusqu'à la fin du récit. Michel Tournier imagine différemment la relation des deux personnages : au fil des jours, un lien d'amitié se tisse entre eux. Vendredi initie Robinson à la vie sauvage. Cet apprentissage réside en grande partie dans une approche poétique et ludique du monde.

De la lecture à l'écriture

Des mots pour mieux écrire

❶ ***Complétez les phrases suivantes avec le nom qui convient :*** bienveillance, irrespect, politesse, sympathie, ingratitude.

a. Ponctuer ses demandes d'un « merci » ou d'un « s'il vous plaît » est une marque de _____________.
b. Il se montrait toujours attentif aux besoins de son maître et lui souhaitait le meilleur : quelle _____________ !
c. Pour se faire des amis, il faut manifester des marques de _____________ envers les autres.
d. Si Vendredi avait cherché à tuer Robinson alors qu'il lui avait sauvé la vie, il aurait fait preuve d'_____________.
e. Quand Robinson traitait Vendredi comme un esclave, il faisait preuve d'_____________.

❷ ***Les adjectifs suivants peuvent être employés pour faire le portrait d'une personne :*** aquilin, globuleux, hirsute, ridé, épaté, charnu, fuyant.
a. ***Cherchez le sens de chacun d'eux dans le dictionnaire.***
b. ***Employez deux d'entre eux dans une phrase qui en éclairera le sens.***

À vous d'écrire

❶ En relisant la page 104, expliquez les règles permettant de réaliser un portrait araucan. Puis imaginez un autre portrait sur le même modèle.
Consigne. Vous respecterez scrupuleusement la forme de devinette du portrait. Vous pouvez faire le portrait de l'un des éléments naturels suivants : le soleil, un nuage, une rivière, un coquillage, la forêt.

❷ Sur l'île, Robinson et Vendredi ont perdu tous leurs objets. Ils n'ont même plus de miroir. Imaginez le dialogue des deux amis, chacun devenant le miroir de l'autre et faisant son portrait physique.
Consigne. Vous respecterez la forme du dialogue en utilisant les temps verbaux et la ponctuation appropriés.

Du texte à l'image

➡ Couverture de *Robinson Crusoé* de Daniel Defoe, illustration de Pierre Noury, 1933.
➡ Paul Durand, *Vendredi dans son hamac avec sa flûte*, illustration, 1971.
(Images reproduites au verso de la couverture, en début d'ouvrage.)

Lire l'image

❶ Observez les deux illustrations. Quels personnages reconnaissez-vous ? Que font-ils ?
❷ Dans la première image, à quoi voit-on que Robinson est le maître de Vendredi ?

Comparer le texte et l'image

❸ La description de Vendredi dans le texte correspond-elle à sa représentation sur chacune de ces illustrations ?
❹ Quels chapitres du roman la deuxième illustration rappelle-t-elle ? Pourquoi ?

À vous de créer

❺ En une vingtaine de lignes, imaginez le dialogue entre Robinson et Vendredi dans la première illustration.

❻ Sur Internet ou dans votre CDI, cherchez une image où Robinson et Vendredi sont présentés sur un pied d'égalité. Décrivez-la en une dizaine de lignes.

❼ Dessinez à votre tour l'illustration qui aurait pu être choisie pour la couverture de *Vendredi ou la Vie sauvage*.

Les chèvres que Robinson avait domestiquées et enfermées dans des enclos étaient retournées à l'état sauvage. Mais comme presque toutes les bêtes qui vivent en liberté, elles s'étaient organisées en groupes que commandaient les boucs les plus forts et les plus sages. Ces maîtres-boucs obéissaient eux-mêmes à un roi-bouc d'une taille et d'une force terribles qui s'appelait Andoar.

Quand un danger menaçait un troupeau, il se rassemblait – généralement sur une colline ou un rocher – et toutes les bêtes du premier rang baissaient la tête et opposaient à l'ennemi une barrière de cornes infranchissable.

Vendredi avait imaginé un jeu dangereux qui le passionnait. Il luttait avec les boucs qu'il surprenait isolés. S'ils fuyaient, il les rattrapait à la course. Il empoignait leurs cornes et il les forçait à se coucher. Pour marquer ceux qu'il avait ainsi vaincus, il leur nouait un petit collier de lianes autour du cou.

Il arriva cependant qu'au cours d'une de ces chasses au bouc, Vendredi recueillit une petite chèvre qu'il avait trouvée blessée dans un creux de rocher. Elle avait une patte de devant cassée. C'était une chevrette toute jeune, blanche, et elle n'avait pas encore de cornes. Vendredi lui fabriqua des attelles avec des bâtons qu'il lia autour de l'os fracturé. Sans doute une chèvre plus âgée et plus raisonnable se serait-elle accommodée de cet appareil qui l'empêchait de plier le genou. Mais la petite chèvre Anda – ainsi l'avait baptisée Vendredi – ne pouvait tenir en place. Elle sautait comme une folle et se faisait très mal en retombant sur ses attelles. D'ailleurs, elle finissait toujours par s'en débarrasser, et alors elle basculait sur le flanc et poussait des cris lamentables.

Robinson était d'avis qu'il fallait l'abattre. Dans tous les pays du monde, on abat les chèvres, les moutons, et même les chevaux qui ont un membre cassé. C'est que ces animaux ne peuvent supporter la contrainte du plâtre ou des éclisses[1] qui maintiennent en place les os fracturés.

Mais Vendredi s'obstina à vouloir sauver Anda. Puisqu'elle ne pouvait ni marcher, ni courir, ni sauter, eh bien, il l'immobiliserait tout à fait ! C'est ainsi qu'il la lia dans un cadre de bois posé sur le sol. Au début, Anda, couchée sur le flanc, se débattait et bêlait à fendre l'âme. Mais elle se résigna et consentit à manger l'herbe odorante et à boire l'eau fraîche que Vendredi lui apportait deux fois par jour.

Au bout de trois semaines, Vendredi la libéra. Aussitôt la petite chèvre voulut s'élancer. Mais ses muscles étaient ankylosés[2]. Elle titubait[3] comme si elle avait bu du vin. Il fallut lui rapprendre à marcher. Vendredi s'y employa avec une patience inlassable. Il la tenait par les flancs, entre ses propres jambes, et il avançait pas à pas, tandis que les petits sabots piaffaient[4] et s'embrouillaient maladroitement sur les cailloux. Elle finit cependant par pouvoir à nouveau sauter et galoper, la petite Anda, et c'était merveille de la voir bondir de rocher en rocher, tantôt derrière Vendredi, tantôt le précédant, mais alors il avait parfois bien du mal à la suivre.

Seulement, si elle avait appris à nouveau à courir, Anda ne voulut jamais se remettre à brouter seule ! On pouvait la placer au milieu d'une prairie pleine d'herbes et de fleurs, ou sous le feuillage tendre d'un arbrisseau – car les chèvres préfèrent les feuilles aux herbes – elle bêlait en direction de Vendredi et attendait qu'il lui donne de sa main les plantes qu'il avait cueillies pour elle.

---

1. **Éclisses** : attelles en bois.
2. **Ankylosés** : engourdis.
3. **Titubait** : marchait en zigzaguant, vacillait.
4. **Piaffaient** : frappaient le sol sans avancer.

Vendredi et Anda étaient inséparables. La nuit, Vendredi se couvrait de la fourrure chaude et vivante d'Anda, étendue sur lui. Le jour, elle ne le quittait pas d'un mètre.

2070 – Tu verras, disait-il à Robinson. Plus tard, quand elle aura du lait, je ne la trairai pas, comme nous faisions autrefois, non ! Je la téterai directement, comme une petite maman !

Et il riait de plaisir à cette idée. Robinson l'écoutait avec une certaine jalousie, car il se sentait exclu de la grande amitié qui 2075 unissait Vendredi et la chevrette.

– Depuis la catastrophe, lui dit-il, tu veux que tout le monde soit libre à Speranza, et qu'il n'y ait plus d'animaux domestiques. Alors pourquoi retiens-tu Anda près de toi ?

– Anda n'est pas un animal domestique, répondit Vendredi 2080 avec dignité. Elle est libre. Elle reste avec moi, parce qu'elle m'aime. Le jour où elle voudra partir, je ne l'empêcherai pas !

Or un matin, Vendredi se réveilla avec le sentiment qu'il s'était passé quelque chose pendant son sommeil. Anda était bien dans ses bras, comme d'habitude, pourtant, en la regardant en face, 2085 Vendredi lui trouva un drôle d'air. Et puis il flottait une odeur autour de lui, une odeur forte, une odeur de bouc ! Il ne dit rien, mais il y pensa toute la journée.

La nuit suivante, il ne dormit que d'un œil. Et voilà qu'à minuit le buisson près duquel il reposait parut s'entrouvrir comme une 2090 grosse fleur, et il vit apparaître en son milieu la plus belle tête de bouc qu'il avait jamais vue. Des longs yeux d'or brillaient dans l'épaisseur de la toison, une barbiche fine et soyeuse[1] s'agitait au bout du menton, de grosses cornes noires et annelées[2] se dressaient sur son front. En même temps un léger souffle de vent 2095 rabattait sur Vendredi une terrible odeur de suint et de musc[3]. Bien qu'il ne l'ait jamais vu, Vendredi reconnut aussitôt Andoar,

1. **Soyeuse** : douce comme la soie.
2. **Annelées** : ornées d'anneaux.
3. **Suint, musc** : matières grasses et odorantes sécrétées par la peau des boucs.

le roi des chèvres de Speranza. Mais sans doute Anda l'avait-elle vu aussi, car elle se débattait doucement dans les bras de Vendredi, comme si elle avait voulu se dégager sans le réveiller. Mais 2100 Vendredi la serra plus fort et l'empêcha de partir, jusqu'à ce que le grand bouc ait disparu. Aussitôt, il se souvint de ce qu'il avait dit à Robinson : si Anda voulait partir, il ne l'en empêcherait pas ! Et il rougit de honte sous sa peau brune.

Le jour suivant, il tressa soigneusement des lianes de couleurs 2105 vives pour en faire un collier plus solide et plus beau que les autres : le collier du roi Andoar. Puis il partit dans la montagne à la recherche de son adversaire.

Il l'aperçut au sommet d'un rocher, immobile comme une grosse statue de poils. Il grimpa lentement le long du rocher, en 2110 serrant entre ses dents le collier de lianes de couleurs qui devait marquer sa victoire sur Andoar. Sur le sommet du rocher, il y avait vraiment peu de place pour deux ! Mais le bouc ne bougeait toujours pas. Vendredi ne savait que faire. Fallait-il le provoquer ? Il s'approcha en tenant le collier à bout de bras. Il allait toucher 2115 le bouc, quand celui-ci s'avança brusquement d'un mètre et passa ses grandes cornes à droite et à gauche de la ceinture de Vendredi. L'Indien était pris comme dans les branches d'une grande pince. Puis le bouc tourna la tête de côté, et Vendredi, perdant l'équilibre, tomba du haut du rocher. Heureusement, la 2120 hauteur n'était pas très grande. Mais il y avait au pied du rocher des épines et des houx qui l'écorchèrent profondément.

Vendredi dut garder le hamac plusieurs jours. Robinson lui faisait des applications de mousse humide, et Anda lui léchait ses blessures. Il parlait sans cesse d'Andoar qu'il voulait retrouver 2125 pour avoir sa revanche, et, comme il était bon joueur, il ne cessait de faire l'éloge du roi des chèvres. Andoar, disait-il, pouvait être repéré à cent mètres de distance rien qu'à son épouvantable odeur. Andoar ne fuyait jamais quand on l'approchait. Andoar ne l'avait pas attaqué après sa chute du rocher, et il n'avait pas 2130 essayé de le frapper à mort, comme l'aurait fait tout autre bouc…

Vendredi était très faible. Il restait couché tout le temps, sauf quand il cueillait des herbes et puisait de l'eau pour Anda. Un soir, épuisé de fatigue, il tomba dans un sommeil profond. Quand il se réveilla très tard le lendemain matin, Anda avait disparu.

2135 – Tu vois, dit-il à Robinson, elle a voulu partir, elle est partie.

Mais Robinson qui n'était pas dupe[1] lui rit au nez. Alors, Vendredi jura en lui-même qu'il retrouverait Andoar, qu'il lui passerait le collier de lianes et qu'il reprendrait Anda.

Lorsqu'il fut guéri, Robinson essaya de l'empêcher de repartir 2140 défier le roi des chèvres. Il y avait d'abord l'odeur que Vendredi apportait, collée à sa peau, quand il avait lutté avec des boucs. Mais en plus, le jeu était réellement dangereux, comme le prouvaient sa chute du rocher et ses blessures. Mais tout ce qu'il pouvait dire ne servait à rien. Vendredi voulait sa revanche, et il en acceptait 2145 gaiement tous les risques. Un matin, il repartit au milieu des grands rochers à la recherche de son adversaire.

Il n'eut pas longtemps à chercher pour le découvrir. La silhouette du grand mâle se dressait au milieu d'une foule de chèvres et de chevreaux qui s'enfuirent en désordre à son approche. Seule une 2150 petite chèvre blanche resta fidèlement auprès du roi, et Vendredi fut bien obligé de reconnaître Anda. D'ailleurs elle ne broutait pas. C'était Andoar qui broutait pour elle : il arrachait une touffe d'herbe et la présentait à Anda. La chevrette s'en saisissait avec ses dents, et elle hochait plusieurs fois la tête comme pour dire 2155 merci. Vendredi en eut un pincement de jalousie.

Andoar ne cherchait pas à fuir. Il se trouvait au milieu d'une sorte de cirque, limité d'un côté par un mur de pierre vertical, de l'autre par un précipice d'une trentaine de mètres de profondeur.

Vendredi dénoua la cordelette qu'il avait enroulée autour de 2160 son poignet et l'agita comme un défi sous le nez d'Andoar. Le fauve s'arrêta tout à coup de mâcher en gardant un long brin d'herbe entre ses dents. Puis il ricana dans sa barbiche et se dressa

1. **Qui n'était pas dupe** : qui ne se laissait pas tromper.

sur ses pattes de derrière, comme pour faire le beau. Il fit ainsi quelques pas en direction de Vendredi en agitant dans le vide
2165 ses sabots de devant, et en hochant ses immenses cornes, comme s'il saluait une foule venue pour l'admirer. Vendredi fut stupéfait de cette pantomime grotesque[1]. Cette seconde de distraction le perdit. La bête n'était plus qu'à quelques pas de lui quand elle se laissa retomber en avant et prit en même temps un élan
2170 formidable dans sa direction. Elle vola comme une flèche vers la poitrine de l'Indien. Vendredi se jeta de côté un instant trop tard. Un choc violent à l'épaule droite le fit tourner sur lui-même. Il tomba brutalement sur les pierres et demeura plaqué au sol.

S'il s'était relevé aussitôt, il aurait été incapable d'éviter une
2175 nouvelle attaque. Il resta donc aplati sur le dos, et il ne voyait ainsi entre ses paupières mi-closes qu'un morceau de ciel bleu. Brusquement le ciel s'obscurcit et une tête velue et barbichue avec un mufle tordu par une espèce de ricanement se pencha sur lui. Il tenta de faire un mouvement, mais son épaule lui fit
2180 tellement mal qu'il s'évanouit.

Lorsqu'il rouvrit les yeux, le soleil était au zénith[2] et le baignait d'une chaleur insupportable. Il s'appuya sur sa main gauche et ramena ses pieds sous lui. Le mur de pierre réverbérait[3] la lumière comme un miroir. Le bouc était invisible. Il se leva en
2185 chancelant, et il allait se retourner, quand il entendit derrière lui un bruit de sabots sur les pierres. Le bruit se rapprochait si vite qu'il ne chercha pas à faire face. Il se laissa tomber sur la gauche, du côté de sa bonne épaule. Un choc au niveau de la hanche le fit trébucher, les bras en croix. Andoar s'était arrêté d'un seul
2190 coup, planté sur ses quatre pattes sèches. Vendredi perdit tout à fait l'équilibre et s'écroula sur le dos du bouc. Andoar plia sous le poids, puis il se rassembla et repartit au grand galop.

---

1. **Pantomime grotesque**: mime ridicule.
2. **Zénith**: position du soleil la plus élevée et moment de la journée où il fait le plus chaud.
3. **Réverbérait**: renvoyait.

Torturé par son épaule, l'Indien se cramponnait à la bête. Ses mains avaient empoigné les cornes au plus près du crâne, ses jambes serraient la fourrure des flancs dans laquelle s'accrochaient ses doigts de pied. Le bouc faisait des bonds fantastiques pour se débarrasser de ce corps nu qui l'étouffait. Il fit plusieurs fois le tour de la carrière où il avait rencontré Vendredi, sans jamais trébucher dans les rochers. Vendredi souffrait tellement qu'il avait envie de vomir et qu'il avait peur de s'évanouir à nouveau. Il fallait obliger Andoar à s'arrêter. Ses mains descendirent le long du crâne de la bête et se plaquèrent sur ses yeux. Aveuglée, elle s'arrêterait sans doute. Elle ne s'arrêta pas. Elle fonçait droit devant elle comme si les obstacles n'existaient plus. Ses sabots sonnèrent sur la dalle de pierre qui s'avançait vers le précipice, et les deux corps toujours enlacés tombèrent dans le vide.

À deux kilomètres de là, Robinson avait observé à la longue-vue la lutte et la chute des deux adversaires. Il connaissait assez bien cette région de l'île pour savoir que le fond du précipice
2210 était accessible par un petit sentier qui serpentait le long de la montagne.

Le soir tombait, lorsqu'il découvrit le cadavre d'Andoar au milieu des maigres buissons qui poussaient entre les pierres. En se bouchant le nez, il se pencha sur le grand corps brun et
2215 reconnut aussitôt la cordelière de couleur solidement nouée autour de son cou. Il se releva en entendant rire derrière lui. Vendredi était là, debout. Il était couvert d'égratignures et il avait une épaule démise[1], mais il paraissait tout heureux. Anda était à côté de lui et lui léchait la main.

2220 – Le roi des chèvres était sous moi et il m'a protégé quand nous sommes tombés, expliqua-t-il. Le grand bouc est mort en me sauvant, mais je vais bientôt le faire voler et chanter.

1. **Démise** : désarticulée.

Vendredi se remettait de ses fatigues et de ses blessures avec une rapidité qui étonnait toujours Robinson. Quelques jours plus 2225 tard, il retournait à la dépouille[1] d'Andoar. Il trancha d'abord la tête qu'il déposa au centre d'une fourmilière. Puis il coupa la peau autour des pattes et sur toute la longueur de la poitrine et du ventre. Enfin il déshabilla le bouc de sa peau qu'il étendit à plat sur le sol. De la bête écorchée, il ne conserva que les intestins. 2230 Il les lava à grande eau et les mit à sécher dans les branches d'un arbre. Puis il gagna le bord de la mer en chantonnant avec sous son bras la lourde et grasse peau d'Andoar. Il la rinça dans les vagues pour qu'elle s'imprègne de sable et de sel. Ensuite il la gratta avec un coquillage pour enlever tous les poils. Ce travail 2235 lui demanda plusieurs jours. Enfin il l'étendit sur deux arcs de bois qui la tendaient comme une peau de tambour. Quand elle fut bien sèche, il la polit avec une pierre ponce[2].

– Andoar va voler, Andoar va voler, répétait-il très excité, en refusant toujours de dévoiler ses projets.

1. **Dépouille**: cadavre.
2. **Pierre ponce**: pierre rugueuse dont on se sert pour polir et pour nettoyer.

2240 Depuis sa plus petite enfance, Robinson était sujet au vertige. Monter debout sur une chaise suffisait à lui donner un malaise. Un jour il avait voulu visiter le clocher de la cathédrale de sa ville natale, York. Après une longue escalade dans l'escalier raide et étroit qui tournait en colimaçon[1], il avait brusquement quitté 2245 l'ombre des murs et s'était retrouvé en plein ciel, sur une plate-forme d'où on voyait toute la ville et ses habitants gros comme des fourmis. Il avait hurlé de peur, et il avait fallu le redescendre comme un paquet, la tête enveloppée dans sa cape d'écolier.

Aussi chaque matin s'efforçait-il de monter dans un arbre pour 2250 s'aguerrir[2]. Autrefois, il aurait trouvé cet exercice inutile et ridicule. Depuis qu'il vivait en prenant Vendredi pour modèle, il jugeait important de se débarrasser de son terrible vertige.

Il avait choisi ce matin-là un araucaria, un des plus grands arbres de l'île. Il empoigna la branche la plus basse et se hissa 2255 sur un genou. Il gravit ensuite les étages successifs du branchage en songeant qu'il jouirait[3] du lever du soleil un peu plus tôt en se trouvant au sommet de l'arbre. À mesure qu'il grimpait, il sentait davantage l'arbre vibrer et se balancer dans le vent. Le vertige commençait à lui contracter l'estomac. Il approchait de 2260 la cime[4] quand il se trouva tout à coup suspendu dans le vide :

---

1. **En colimaçon** : en spirale.
2. **S'aguerrir** : s'endurcir.
3. **Jouirait** : profiterait.
4. **Cime** : sommet d'un arbre.

sous l'effet de la foudre sans doute le tronc se trouvait ébranché sur une hauteur de deux mètres. Là, il commit une erreur qu'on évite difficilement quand on craint le vertige : il regarda à ses pieds. Il ne vit qu'un fouillis de branches qui s'enfonçaient en
2265 tournant comme une spirale. L'angoisse le paralysa et il serra le tronc dans ses bras et entre ses jambes. Enfin il comprit qu'il fallait regarder non pas *au-dessous* de lui, mais *au-dessus* de lui. Il leva les yeux. Dans le ciel bleu un grand oiseau d'or en forme de losange se balançait au gré du vent. Vendredi avait exécuté
2270 sa mystérieuse promesse : il faisait voler Andoar.

Il avait d'abord ligaturé trois baguettes de jonc en forme de croix. Puis il avait creusé une gorge dans chacune de leurs sections, et il y avait fait passer un boyau. Sur le cadre léger et robuste ainsi obtenu, il avait posé la peau d'Andoar en rabattant et en cousant ses bords sur le boyau. Les deux extrémités de la baguette la plus longue étaient réunies par une ficelle assez lâche à laquelle était nouée la corde du cerf-volant en un point soigneusement calculé, car de là dépendait son inclinaison dans le vent.

Vendredi avait travaillé dès les premières lueurs de l'aube à son cerf-volant, et le grand oiseau de peau à peine terminé s'agitait dans le vent entre ses mains, comme s'il était impatient de prendre son vol. Sur la plage, l'Indien avait crié de joie au moment où Andoar, courbé comme un arc, était monté en fusée, entraînant une guirlande de plumes blanches et noires.

Robinson était bien vite descendu de son arbre pour le rejoindre. Il le trouva couché sur le sable, les mains croisées derrière la nuque, la chevrette Anda roulée en boule à ses pieds. La corde du cerf-volant était attachée à sa cheville. Robinson s'étendit près de lui, et longtemps, ils regardèrent tous deux le vol capricieux d'Andoar au milieu des nuages, qui montait et plongeait, vibrait sous une rafale, et s'affaissait tout à coup parce que le vent faiblissait. Tout à coup Vendredi sauta sur ses pieds, et, sans détacher la corde du cerf-volant toujours nouée à sa cheville, il mima la danse aérienne d'Andoar. Riant et chantant, il s'accroupit en boule sur le sol, puis bondit en levant les bras, retomba, projeta sa jambe gauche vers le ciel, tournoya, accompagné par les gambades d'Anda. Et là-haut, très loin dans les nuages, le bel oiseau d'or attaché par trois cents mètres de fil à la cheville de l'Indien l'accompagnait dans sa danse, virevoltait, plongeait, 2300 bondissait avec lui.

L'après-midi fut consacré à la pêche au cerf-volant, telle qu'on la pratique encore dans les îles de l'archipel Salomon[1]. La corde du cerf-volant fut attachée à l'arrière de la pirogue, tandis qu'une ligne de même longueur partait de la queue de l'engin et se 2305 terminait par un hameçon dissimulé dans une touffe de plumes. Robinson pagayait lentement contre le vent, et, loin derrière la pirogue, la touffe de plumes frôlait les vagues en scintillant. Parfois un gros poisson se jetait sur cet appât et refermait sa gueule sur l'hameçon. Alors Vendredi et Robinson voyaient dans le ciel 2310 le grand cerf-volant s'agiter comme le bouchon d'une canne à pêche quand un poisson a mordu. Robinson faisait demi-tour, et, ramant dans le sens du vent, il rejoignait assez vite le bout de la ligne que Vendredi saisissait. Au fond du bateau s'entassaient les corps brillants, tout ronds, aux dos verts et aux flancs argentés 2315 des poissons qui étaient presque tous des belones.

Le soir, Vendredi ne voulut pas ramener Andoar à terre pour la nuit. Il l'attacha à l'un des poivriers auxquels était suspendu son hamac. Tel un animal domestique à la longe[2], Andoar passa ainsi la nuit aux pieds de son maître. Il l'accompagna également 2320 tout le jour suivant. Mais au cours de la deuxième nuit, le vent tomba tout à fait, et il fallut aller chercher le grand oiseau au milieu d'un champ de fleurs où il s'était doucement posé. Après plusieurs essais infructueux[3], Vendredi renonça à le remettre dans le vent. Il parut l'oublier et ne fit plus que la sieste pendant 2325 huit jours. Alors il sembla se souvenir de la tête du bouc qu'il avait abandonnée dans une fourmilière.

---

1. **Archipel Salomon**: groupe d'îles du Pacifique.
2. **Longe**: longue corde.
3. **Infructueux**: inefficaces.

Les petites fourmis avaient bien travaillé. Il ne restait plus rien des longs poils blancs et bruns, de la barbe et de la chair. Même l'intérieur de la tête avait été parfaitement nettoyé. Quand Vendredi revint vers Robinson ce jour-là, il brandissait à bout de bras un superbe crâne blanc et sec avec deux magnifiques cornes noires, annelées et en forme de lyre[1]. Ayant retrouvé par hasard la cordelette de couleur qu'il avait nouée au cou d'Andoar, il l'attacha à la base des cornes, comme on met un nœud dans les cheveux des petites filles.

– Andoar va chanter ! promit-il mystérieusement à Robinson qui le regardait faire.

Il tailla d'abord deux petites traverses[2] de longueur inégale dans du bois de sycomore[3]. Avec la plus longue, grâce à deux trous percés latéralement à ses extrémités, il réunit les pointes des deux cornes. La plus courte fut fixée parallèlement à la première, à mi-hauteur du chanfrein[4]. Un peu plus haut, entre les orbites[5], il plaça une planchette de sapin dont l'arête supérieure portait douze étroits sillons[6]. Enfin il décrocha les boyaux d'Andoar qui se balançaient toujours dans les branches d'un arbre, mince et

1. **Lyre** : instrument de musique antique à cordes.
2. **Traverses** : baguettes de bois.
3. **Sycomore** : arbre proche du figuier ou de l'érable.
4. **Chanfrein** : partie de la tête du bouc entre le front et le museau.
5. **Orbites** : trous où prennent place les yeux.
6. **Sillons** : fentes.

sèche lanière tannée[1] par le soleil, et il les coupa en morceaux égaux d'un mètre chacun environ.

Lorsqu'il le vit tendre entre les deux traverses, à l'aide de chevilles[2], les douze boyaux qui pouvaient garnir le front d'Andoar, 2350 Robinson comprit qu'il voulait fabriquer une *harpe éolienne*. La harpe éolienne est un instrument qu'on met en plein air ou dans un courant d'air, et c'est le vent qui joue de la musique en faisant vibrer les cordes. Toutes les cordes doivent donc pouvoir retentir en même temps, sans discordance, et il faut qu'elles 2355 soient accordées à l'unisson ou à l'octave[3].

Vendredi fixa de chaque côté du crâne une aile de vautour pour rabattre sur les cordes le plus faible souffle de vent. Puis la harpe éolienne trouva place dans les branches d'un cyprès mort qui dressait sa maigre silhouette au milieu des rochers, en 2360 un endroit exposé à toute la rose des vents[4]. À peine installée d'ailleurs, elle émit déjà un son flûte, grêle et plaintif, bien que le temps fût tout à fait calme. Vendredi écouta longtemps cette musique si triste et si douce qu'elle donnait envie de pleurer. Enfin, il fit une grimace de mépris, et leva deux doigts en direc- 2365 tion de Robinson. Il voulait dire par là que le vent trop faible ne faisait vibrer que deux cordes sur douze.

Il fallut attendre la prochaine tempête qui ne se produisit qu'un mois plus tard pour qu'Andoar consente à chanter à pleine voix. Robinson avait finalement élu domicile dans les branches de 2370 l'araucaria où il s'était fait un abri avec des plaques d'écorce. Une nuit, Vendredi vint le tirer par les pieds. Une tourmente s'était levée, et on voyait dans le ciel livide[5] la lune glisser rapidement comme un disque entre les nuages déchirés. Vendredi entraîna

1. **Tannée**: brunie, séchée.
2. **Chevilles**: petites pièces de bois servant à tendre les cordes.
3. **Accordées à l'unisson ou à l'octave**: parfaitement accordées.
4. **Rose des vents**: étoile placée sur une boussole, représentant les points cardinaux et la direction des vents.
5. **Livide**: ici, plombé, assombri.

Robinson vers le cyprès. Bien avant d'arriver en vue de l'arbre,
2375 Robinson crut entendre un concert céleste[1] où se mêlaient des flûtes et des violons. Le vent redoublait de violence quand les deux compagnons parvinrent au pied de l'arbre-chantant. Attaché court à sa plus haute branche, le cerf-volant vibrait comme une peau de tambour, tantôt immobile et frémissant, tantôt emporté
2380 dans de furieuses embardées[2]. Sous la lumière changeante de la lune, les deux ailes de vautour s'ouvraient et se fermaient au gré des bourrasques. Ainsi Andoar-volant et Andoar-chantant semblaient réunis dans la même sombre fête. Et il y avait surtout cette musique grave et belle, si déchirante qu'on aurait dit la
2385 plainte du grand bouc, mort en sauvant Vendredi.

Serrés tous trois sous un rocher, Robinson, Vendredi et la chevrette Anda regardaient de tous leurs yeux ce spectacle terrible, et ils écoutaient de toutes leurs oreilles ce chant qui semblait à la fois tomber des étoiles et monter des profondeurs de la terre.

---

1. **Céleste**: divin.
2. **Embardées**: mouvements brusques.

Vendredi cueillait des fleurs entre les rochers du chaos lorsqu'il aperçut un point blanc à l'horizon, du côté de l'est. Aussitôt, il descendit en courant prévenir Robinson qui achevait de se raser la barbe. Robinson était peut-être ému, mais il n'en laissa rien paraître.

– Nous allons avoir de la visite, dit-il simplement, raison de plus pour que j'achève ma toilette.

Au comble de l'excitation, Vendredi monta au sommet d'un arbre. Il avait emporté la longue-vue qu'il braqua sur le navire devenu nettement visible. C'était une goélette à hunier, un fin voilier, taillée pour la course avec ses deux hauts mâts dont le premier – le mât de misaine – portait une voile carrée, le second, une voile triangulaire. Elle filait bien ses dix à douze nœuds[1] et se dirigeait droit vers la côte marécageuse de l'île. Vendredi se hâta d'aller donner ces précisions à Robinson qui passait un gros peigne d'écaille dans sa crinière rouge. Puis il regrimpa dans son observatoire. Le commandant avait dû se rendre compte que la côte n'était pas abordable de ce côté-là de l'île, car le navire virait de bord. Puis il réduisit sa toile et courut à petites voiles le long du rivage.

Vendredi alla avertir Robinson que le visiteur doublait les dunes et jetterait l'ancre très probablement dans la baie du Salut.

---

1. **Nœuds** : unité de vitesse (1 nœud = environ 1,8 kilomètre par heure).

Il importait avant toute chose de reconnaître sa nationalité. Robinson s'avança jusqu'au dernier rideau d'arbres bordant la plage et braqua sa longue-vue sur le navire qui stoppait à deux
2415 encablures[1] du rivage. Quelques instants plus tard, on entendit la chaîne de l'ancre tinter en se déroulant.

Robinson ne connaissait pas ce type de bateau qui devait être récent, mais il reconnut l'*Union Jack*, le drapeau anglais, qui flottait à l'arrière. L'équipage avait mis une chaloupe à la mer,
2420 et déjà les avirons[2] battaient les flots.

Robinson était très ému. Il ne savait plus depuis combien de temps il était dans l'île, mais il avait l'impression d'y avoir passé la plus grande partie de sa vie. On raconte qu'avant de mourir un homme revoit souvent tout son passé étalé devant lui comme
2425 un panorama. C'était un peu le cas de Robinson qui revoyait le naufrage, la construction de *L'Évasion*, son échec, la grande misère de la souille, l'exploitation frénétique de l'île, puis l'arrivée de Vendredi, les travaux que Robinson lui avait imposés, l'explosion, la destruction de toute son œuvre, et ensuite c'était
2430 une longue vie heureuse et douce, pleine de jeux violents et sains et des inventions extraordinaires de Vendredi. Est-ce que tout cela allait prendre fin ?

Dans la chaloupe s'amoncelaient les petits tonneaux destinés à renouveler la provision d'eau douce du navire. À l'arrière, on
2435 voyait debout, le chapeau de paille incliné sur une barbe noire, un homme botté et armé, le commandant sans doute.

L'avant de l'embarcation racla le fond et se souleva avant de s'immobiliser. Les hommes sautèrent dans l'écume des vagues et tirèrent la chaloupe sur le sable pour la mettre hors de portée
2440 de la marée montante. La barbe noire tendit la main à Robinson et se présenta.

---

1. **Encablures** : ancienne unité de distance (1 encablure = environ 200 mètres).
2. **Avirons** : rames.

– William Hunter, de Blackpool[1], commandant de la goélette le *Whitebird.*

– Quel jour sommes-nous ? lui demanda Robinson.

2445 Étonné, le commandant se tourna vers l'homme qui le suivait et qui devait être son second.

– Quel jour sommes-nous, Joseph ?

– Le samedi 22 décembre 1787, Sir, répondit-il.

– Le samedi 22 décembre 1787, répéta le commandant tourné 2450 vers Robinson.

Le cerveau de Robinson travailla à vive allure. Le naufrage de *La Virginie* avait eu lieu le 30 septembre 1759. Il y avait donc exactement vingt-huit ans, deux mois et vingt-deux jours. Il ne pouvait imaginer qu'il soit depuis si longtemps dans l'île ! Malgré 2455 tout ce qui s'était passé depuis son arrivée sur cette terre déserte, cette durée de plus de vingt-huit années lui paraissait impossible à faire tenir entre le naufrage de *La Virginie* et l'arrivée du *Whitebird.* Et il y avait autre chose encore : il calculait que si l'on était en 1787, comme le disaient les nouveaux venus, il aurait exactement 2460 cinquante ans. Cinquante ans ! L'âge d'un vieux bonhomme en somme. Alors que grâce à la vie libre et heureuse qu'il menait à Speranza, grâce surtout à Vendredi, il se sentait de plus en plus jeune ! Il décida en tout cas de cacher aux arrivants la date véritable de son naufrage, de peur de passer pour un menteur.

2465 – J'ai été jeté sur cette côte alors que je voyageais à bord de la galiote *La Virginie,* commandée par Pieter van Deyssel, de Flessingue[2]. Je suis le seul rescapé de la catastrophe. Le choc m'a malheureusement fait perdre en partie la mémoire, et notamment je n'ai jamais pu retrouver la date à laquelle il a eu lieu.

2470 – Je n'ai jamais entendu parler de ce navire dans aucun port, observa Hunter, mais il est vrai que la guerre avec les Amériques a bouleversé toutes les relations maritimes.

---

1. **Blackpool** : ville d'Angleterre.
2. **Flessingue** : ville des Pays-Bas.

Robinson ne savait évidemment pas que les colonies anglaises de l'Amérique du Nord avaient combattu l'Angleterre pour conqué-
2475 rir leur indépendance, et qu'il en était résulté une guerre qui avait duré de 1775 à 1782. Mais il évita de poser des questions qui auraient trahi son ignorance.

Cependant Vendredi aidait les hommes à décharger les tonnelets et il les guidait vers le plus proche point d'eau. Robinson
2480 comprit que si l'Indien s'empressait si gentiment au service des matelots, c'était dans l'espoir qu'ils l'emmèneraient le plus tôt possible à bord du *Whitebird*. Lui-même devait s'avouer qu'il brûlait d'envie de visiter ce fin voilier, merveilleusement construit pour battre tous les records de vitesse et qui devait être pourvu des
2485 derniers perfectionnements de la marine à voile. En attendant, le commandant Hunter, le second Joseph et tous les hommes qu'il voyait s'affairer autour de lui paraissaient laids, grossiers, brutaux et cruels, et il se demandait s'il arriverait à reprendre l'habitude de vivre avec ses semblables.

2490 Il avait entrepris de montrer à Hunter les ressources de l'île en gibier et en aliments frais, comme le cresson et le pourpier[1] grâce auxquels les équipages en mer évitent d'attraper le scorbut[2]. Les hommes grimpaient le long des troncs à écailles pour faire tomber d'un coup de sabre les choux palmistes, et on entendait
2495 les rires de ceux qui poursuivaient les chevreaux avec des cordes. Cela lui faisait mal de voir ces brutes avinées[3] mutiler les arbres et massacrer les bêtes de son île, mais il ne voulait pas être égoïste envers les premiers hommes qu'il revoyait après tant d'années. À l'emplacement où s'élevait autrefois la banque de Speranza,
2500 de hautes herbes se creusaient sous le vent avec un murmure soyeux. Un matelot y trouva coup sur coup deux pièces d'or. Il ameuta aussitôt ses compagnons à grands cris, et après des disputes

1. **Pourpier** : herbe qui se mange en salade.
2. **Scorbut** : maladie provoquée par une carence en vitamine C.
3. **Avinées** : ivres.

violentes, on décida d'incendier toute la prairie pour faciliter les recherches. Robinson ne put s'empêcher de penser que cet or
2505 était à lui en somme, et que les bêtes allaient être privées par cet incendie de la meilleure pâture de toute l'île. Chaque nouvelle pièce trouvée était l'occasion de bagarres souvent sanglantes qui se livraient au couteau ou au sabre.

Il voulut détourner son attention de ce spectacle en faisant
2510 parler Joseph, le second. Celui-ci lui décrivit aussitôt avec enthousiasme la traite des Noirs qui fournissait la main-d'œuvre des plantations de coton des États du sud de l'Amérique. Les Noirs étaient enlevés en Afrique sur des bateaux spéciaux où ils étaient entassés comme de la marchandise. Aux États-Unis, on les vendait
2515 et on rechargeait le bateau avec du coton, du sucre, du café et de l'indigo[1]. C'était un fret[2] de retour idéal qui s'écoulait avantageusement au passage dans les ports européens. Puis Hunter prit la parole et raconta en riant comment, au cours de la guerre, il avait coulé un transport de troupes français envoyé en renfort
2520 aux insurgés[3] américains. Tous ces hommes s'étaient noyés sous ses yeux. Robinson avait l'impression d'avoir soulevé une pierre et d'observer des cloportes noirs et grouillants.

Une première fois la chaloupe avait regagné le bord du *Whitebird* pour y déposer tout un chargement de fruits, de légumes et de
2525 gibier au milieu desquels se débattaient des chevreaux ligotés. Les hommes attendaient les ordres du commandant avant d'effectuer un second voyage.

– Vous me ferez bien l'honneur de déjeuner avec moi, dit-il à Robinson.

2530 Et sans attendre sa réponse, il ordonna qu'on embarque l'eau douce et qu'on revienne ensuite pour le mener à bord avec son invité.

---

1. **Indigo**: plante fournissant une matière colorante bleue.
2. **Fret**: ensemble de marchandises.
3. **Insurgés**: révoltés. Dès 1777, les troupes françaises viennent prêter main-forte aux Américains luttant pour leur indépendance.

Lorsque Robinson sauta sur le pont du *Whitebird*, il y fut accueilli par un Vendredi radieux que la chaloupe avait amené lors de son
2535 précédent voyage. L'Indien avait été adopté par l'équipage et paraissait connaître le navire comme s'il y était né. Robinson le vit s'élancer dans les haubans[1], se hisser sur la hune[2] et repartir de là sur les marchepieds de la vergue, se balançant à quinze mètres au-dessus des vagues avec un grand rire heureux. Il se
2540 souvint alors que Vendredi aimait tout ce qui avait rapport à l'air – la flèche, le cerf-volant, la harpe éolienne – et que ce beau voilier svelte, léger et blanc était certainement la chose aérienne la plus merveilleuse qu'il eût jamais vue. Il éprouva un peu de tristesse en constatant combien l'Indien paraissait plus heureux
2545 que lui de l'arrivée du *Whitebird*.

Il avait fait quelques pas sur le pont, lorsqu'il distingua une petite forme humaine attachée demi-nue au pied du mât de misaine. C'était un enfant qui pouvait avoir une douzaine d'années. Il était maigre comme un oiseau déplumé et tout son dos
2550 était strié de marques sanglantes. On ne voyait pas son visage, mais ses cheveux formaient une masse rouge qui retombait sur ses épaules minces et parsemées de taches de rousseur. Robinson ralentit le pas en le voyant.

– C'est Jean, notre mousse, lui dit le commandant.

2555 Puis il se tourna vers Joseph.

– Qu'a-t-il encore fait ?

Aussitôt une face rougeaude coiffée d'une toque de cuisinier surgit de l'écoutille de la cambuse[3], comme un diable qui sort d'une boîte.

2560 – Je ne peux rien en tirer, dit le maître coq[4]. Ce matin il m'a gâté un pâté de poule en le salant trois fois par distraction. Il a eu

1. **Haubans** : câbles soutenant les mâts.
2. **Hune** : plate-forme en haut des mâts.
3. **Écoutille de la cambuse** : trappe du garde-manger.
4. **Maître coq** : cuisinier en chef d'un navire.

ses douze coups de garcette[1]. Il en aura d'autres s'il n'apprend pas à faire attention.

Et la tête disparut aussi soudainement qu'elle avait surgi.

2565 – Détache-le, dit le commandant au second. Il faut qu'il nous serve au carré[2].

Robinson déjeuna avec le commandant et le second. Il n'entendit plus parler de Vendredi qui devait manger avec l'équipage. Il eut du mal à venir à bout des terrines et des viandes en sauce, 2570 violemment épicées, dont on remplit plusieurs fois son assiette. Il n'avait plus l'habitude de ces nourritures lourdes et indigestes, lui qui ne mangeait plus que des choses légères, fraîches et naturelles depuis si longtemps.

C'était le mousse Jean qui servait à table, à demi enfoui dans 2575 un immense tablier blanc. Robinson chercha son regard sous la masse de ses cheveux fauves, mais il était si absorbé par sa peur de commettre quelque maladresse qu'il paraissait ne pas le voir. Le commandant était sombre et silencieux. C'était Joseph qui entretenait la conversation en expliquant à Robinson les der- 2580 nières acquisitions de la technique de la voile et de la science de la navigation.

Après le déjeuner, Hunter se retira dans sa cabine, et Joseph entraîna Robinson sur la passerelle de commandement. Il voulait lui montrer un instrument récemment introduit dans la navigation, 2585 le sextant, qui servait à mesurer la hauteur du soleil au-dessus de l'horizon. Tout en écoutant la démonstration enthousiaste de Joseph, Robinson manipula avec plaisir le bel objet de cuivre, d'acajou et d'ivoire qui avait été extrait de son coffret.

Ensuite Robinson alla s'étendre sur le pont pour faire la sieste 2590 comme il en avait l'habitude. Au-dessus de lui, la pointe du mât de hune décrivait des cercles irréguliers dans un ciel parfaitement bleu où s'était égaré un croissant de lune translucide. En

1. **Garcette** : petite corde tressée souvent utilisée pour les châtiments corporels.
2. **Carré** : salle à manger des officiers d'un navire.

tournant la tête, il voyait Speranza, une bande de sable blond, puis un amas de verdure, enfin l'entassement du chaos rocheux.

2595 C'est alors qu'il comprit qu'il ne quitterait jamais l'île. Ce *Whitebird* avec ses hommes, c'était l'envoyé d'une civilisation où il ne voulait pas retourner. Il se sentait jeune, beau et fort à condition de demeurer à Speranza avec Vendredi. Sans le savoir, Joseph et Hunter lui avaient appris que, pour eux, il avait cinquante ans. 2600 S'il s'en allait avec eux, il serait un vieil homme aux cheveux gris, à l'allure digne, et il deviendrait bête et méchant comme eux. Non, il resterait fidèle à la vie nouvelle que lui avait enseignée Vendredi.

Lorsqu'il fit part de sa décision de demeurer sur l'île, seul 2605 Joseph manifesta de la surprise. Hunter n'eut qu'un sourire glacé. Au fond il était peut-être soulagé de n'avoir pas deux passagers supplémentaires à embarquer sur un navire étroit où la place était chichement[1] distribuée.

– Je considère tout le ravitaillement et l'or que nous avons 2610 embarqués, comme l'effet de votre générosité, lui dit-il courtoisement. En souvenir de notre passage à Speranza, permettez-moi de vous offrir notre petite yole[2] de repérage qui s'ajoute inutilement à nos deux chaloupes de sauvetage réglementaires.

C'était un canot léger et de bonne tenue, idéal pour un ou 2615 deux hommes par temps calme. Il remplacerait avantageusement la vieille pirogue de Vendredi. C'est dans cette embarcation que Robinson et son compagnon regagnèrent l'île comme le soir tombait.

En reprenant pied sur ses terres, Robinson éprouva un immense 2620 soulagement. Le *Whitebird* et ses hommes avaient apporté le désordre et la destruction dans l'île heureuse où il avait mené une vie idéale avec Vendredi. Mais qu'importait? Aux premières lueurs de l'aube, le navire anglais lèverait l'ancre et reprendrait sa

1. **Chichement**: de manière peu abondante, pauvrement.
2. **Yole**: canot.

place dans le monde civilisé. Robinson avait fait comprendre au
2625 commandant qu'il ne souhaitait pas que l'existence et la position
de son île sur la carte fussent révélées par l'équipage du *Whitebird.*
Le commandant avait promis, et Robinson savait qu'il respecterait
son engagement. Robinson et Vendredi avaient encore de belles
et longues années de solitude devant eux.

L'aube était pâle encore quand Robinson descendit de son araucaria. Il détestait les heures tristes et blêmes qui précèdent le lever du soleil, et il avait l'habitude d'attendre ses premiers rayons pour se lever. Quant à Vendredi, il faisait toujours la grasse matinée. Mais cette nuit-là, il avait mal dormi. C'était sans doute ce repas indigeste qu'il avait pris à bord du *Whitebird*, ces viandes, ces sauces et ce vin qui lui avaient donné un sommeil lourd, entrecoupé de réveils brusques et de cauchemars.

Il fit quelques pas sur la plage. Comme il s'y attendait, le *Whitebird* avait disparu. L'eau était grise et le ciel décoloré. Une rosée abondante alourdissait les plantes. Les oiseaux observaient un silence de mort. Robinson sentit une grande tristesse l'envahir. Dans quelques minutes, dans une heure au plus, le soleil se lèverait et rendrait la vie et la joie à toute l'île. En attendant, Robinson décida d'aller regarder Vendredi dormir dans son hamac. Il ne le réveillerait pas, mais sa présence le réconforterait.

Le hamac était vide. Ce qui était plus surprenant, c'était la disparition des menus objets dont Vendredi agrémentait ses siestes, miroirs, flageolets[1], sarbacanes, fléchettes, plumes, balles, etc. La chevrette Anda avait disparu, elle aussi. Une peur panique envahit brusquement Robinson. Et si Vendredi était parti avec le *Whitebird*? Il courut vers la plage: la yole et la vieille pirogue étaient là, tirées sur le sable sec. Si Vendredi avait voulu rejoindre

1. **Flageolets**: flûtes.

la goélette anglaise, il aurait emprunté l'une de ces deux embarcations et il l'aurait abandonnée en mer ou hissée à bord. Pourquoi 2655 aurait-il fait cette traversée nocturne à la nage ?

Alors Robinson commença à battre toute l'île en appelant Vendredi. Il courut d'une plage à l'autre, des falaises aux dunes, de la forêt aux marécages, du chaos rocheux aux prairies, de plus en plus désespéré, trébuchant et criant, de plus en plus 2660 convaincu que Vendredi l'avait trahi et abandonné. Mais pourquoi, pourquoi ?

Alors il se souvint de l'admiration de Vendredi pour le beau bateau blanc, et comme il se balançait heureusement en riant d'une vergue à l'autre au-dessus des flots. C'était cela : Vendredi 2665 avait été séduit par ce nouveau jouet, plus magnifique que tous ceux qu'il avait construits lui-même dans l'île.

Pauvre Vendredi ! Car Robinson se souvenait aussi des horribles détails que Joseph, le second, lui avait donnés sur la traite des Noirs qui se pratiquait entre l'Afrique et les plantations de coton 2670 d'Amérique. Sans doute le naïf Indien était-il déjà au fond de la cale du *Whitebird*, dans les fers des esclaves…

Robinson était accablé de douleur. Il continuait ses recherches, mais il ne trouvait que des souvenirs qui achevaient de lui crever le cœur, la harpe éolienne et le cerf-volant, brisés par les hommes 2675 de la goélette, et tout à coup il sentit quelque chose de dur sous ses pieds. C'était le collier de Tenn, rongé par les moisissures. Alors Robinson appuya son front contre le tronc d'un eucalyptus, et il pleura toutes les larmes de son corps.

Quand il releva la tête, il vit à quelques mètres de lui une demi-2680 douzaine de vautours qui l'observaient de leurs petits yeux rouges et cruels. Robinson voulait mourir, les vautours l'avaient deviné, mais justement, il ne voulait pas que son corps fût déchiqueté par les charognards. Il se souvint du fond de la grotte où il avait passé de si bonnes heures. Sans doute l'explosion avait bouché 2685 l'entrée de la grande caverne, mais il se sentait si diminué, si faible et rapetissé qu'il était bien sûr de trouver un passage, une fente entre deux blocs. Alors il descendrait tout au fond du trou qui était doux et tiède, il s'accroupirait, la tête sur les genoux, les pieds croisés, et il oublierait tout, il s'endormirait pour toujours à l'abri des vautours et des autres animaux.

Il s'achemina donc à petits pas vers le chaos rocheux qui se dressait à la place de la grotte. À force de chercher, il trouva en effet une ouverture étroite comme une chatière, mais il était tellement recroquevillé par le chagrin qu'il était sûr de pouvoir s'y glisser. Il passa la tête à l'intérieur pour essayer de voir si le passage conduisait bien au fond de la grotte. À ce moment-là il entendit quelque chose qui remuait à l'intérieur. Une pierre roula. Robinson recula. Un corps obstrua[1] la fente et s'en libéra par quelques contorsions. Et voici qu'un enfant se tenait devant Robinson, le bras droit replié sur son front pour se protéger de la lumière ou en prévision d'une gifle. Robinson était abasourdi.

– Qui es-tu ? Qu'est-ce que tu fais là ? lui demanda-t-il.

– Je suis le mousse du *Whitebird*, répondit l'enfant. Je voulais m'enfuir de ce bateau où j'étais malheureux. Hier pendant que je servais à la table du commandant, vous m'avez regardé avec bonté. Ensuite j'ai entendu que vous ne partiez pas. J'ai décidé de me cacher dans l'île et de rester avec vous.

– Et Vendredi ? As-tu vu Vendredi ? insista Robinson.

– Justement ! Cette nuit, je m'étais glissé sur le pont et j'allais me mettre à l'eau pour essayer de nager jusqu'à la plage, quand j'ai vu un homme aborder en pirogue. C'était votre serviteur métis[2]. Il est monté à bord avec une petite chèvre blanche. Il est entré chez le second qui paraissait l'attendre. J'ai compris qu'il resterait sur le bateau. Alors j'ai nagé jusqu'à la pirogue et je me suis hissé dedans. Et j'ai pagayé jusqu'à la plage.

– C'est pour cela que les deux bateaux sont là ! s'exclama Robinson.

1. **Obstrua** : boucha.
2. **Métis** : ici, personne dont la peau est colorée.

– Je me suis caché dans les rochers, poursuivait le mousse. Maintenant le *Whitebird* est parti sans moi, et je vivrai avec vous !

2720 – Viens avec moi, lui dit Robinson.

Il prit le mousse par la main, et, contournant les blocs, il commença à gravir la pente menant au sommet du piton[1] rocheux qui dominait le chaos. Il s'arrêta à mi-chemin et regarda son nouvel ami. Un pâle sourire éclaira le visage maigre, semé de 2725 taches de rousseur. Il ouvrit la main et regarda la main qui y était blottie. Elle était mince, faible, mais labourée par les travaux grossiers du bord.

Du haut du piton rocheux, on voyait toute l'île qui était encore noyée dans la brume. Sur la plage, le canot et la pirogue commen-2730 çaient à tourner, atteints par les vagues de la marée montante. Très loin au nord sur la mer, on distinguait un point blanc qui fuyait vers l'horizon : le *Whitebird.*

Robinson tendit le bras dans sa direction.

– Regarde-le bien, dit-il. Tu ne verras peut-être jamais plus cela : 2735 un navire au large des côtes de Speranza.

Le point s'effaçait peu à peu. Enfin il disparut. C'est alors que le soleil se leva. Une cigale chanta. Une mouette se laissa tomber sur l'eau et s'éleva à grands coups d'ailes, un petit poisson dans le bec. Les fleurs ouvraient leurs calices[2], les unes après les autres. 2740 Robinson sentait la vie et la joie qui entraient en lui et le regonflaient. Vendredi lui avait enseigné la vie sauvage, puis il était parti. Mais Robinson n'était pas seul. Il avait maintenant ce petit frère dont les cheveux – aussi rouges que les siens – commençaient à flamboyer au soleil. Ils inventeraient de nouveaux jeux, de 2745 nouvelles aventures, de nouvelles victoires. Une vie toute neuve allait commencer, aussi belle que l'île qui s'éveillait dans la brume à leurs pieds.

---

1. **Piton** : pic.
2. **Calices** : enveloppes protectrices qui recouvrent la partie inférieure de la corolle d'une fleur.

– Comment t'appelles-tu ? demanda Robinson au mousse.

– Je m'appelle Jean Neljapaev. Je suis né en Estonie, ajouta-t-il
2750 comme pour excuser ce nom difficile.

– Désormais, lui dit Robinson, tu t'appelleras *Dimanche.* C'est le jour des fêtes, des rires et des jeux. Et pour moi tu seras pour toujours l'enfant du dimanche.

Arrêt sur lecture 4

Un quiz pour commencer

Cochez les bonnes réponses.

❶ *Qui est Andoar ?*

❒ Le roi des chèvres de l'île.
❒ Le chef de la tribu de Vendredi.
❒ Un nouvel habitant de l'île.

❷ *Qui est Anda ?*

❒ La fiancée de Vendredi.
❒ Une chevrette.
❒ Un perroquet.

❸ *Comment Andoar meurt-il ?*

❒ Robinson l'assomme.
❒ Vendredi le transperce d'une flèche.
❒ Andoar tombe du haut d'un précipice.

❹ *Quelle est la nationalité des marins du* Whitebird *?*

- ❒ Française.
- ❒ Espagnole.
- ❒ Anglaise.

❺ *Depuis combien de temps Robinson est-il sur l'île ?*

- ❒ Six mois.
- ❒ Quatre ans.
- ❒ Vingt-huit ans.

❻ *Quelle décision Robinson prend-il après avoir déjeuné sur le* Whitebird *?*

- ❒ De quitter l'île à bord du *Whitebird.*
- ❒ De proposer à Joseph de vivre à Speranza.
- ❒ De rester à Speranza avec Vendredi.

❼ *Qui Robinson découvre-t-il dans la grotte ?*

- ❒ Jean, le mousse du *Whitebird*.
- ❒ Anda.
- ❒ Vendredi.

Des questions pour aller plus loin

Analyser le dénouement du roman

Le destin de Vendredi

❶ À quel jeu dangereux Vendredi se prête-t-il avec les boucs ? Quelles en sont les conséquences ?
❷ À quel moment voit-on que Vendredi ne respecte pas toujours la liberté des autres ? Quel sentiment éprouve-t-il lorsqu'il en prend conscience ?
❸ Que fait Vendredi avec la dépouille d'Andoar ? Quel pouvoir cela semble-t-il lui donner ?
❹ Comment Vendredi se comporte-t-il avec les hommes du *Whitebird* ? Pourquoi ?
❺ Comment Vendredi quitte-t-il l'île ? Précisez les différentes étapes de son départ. Que risque-t-il de lui arriver à bord du *Whitebird* ?

Le retour de la civilisation

❻ Au trente-quatrième chapitre (p. 132-140), à l'arrivée du *Whitebird*, relevez une phrase interrogative traduisant l'inquiétude de Robinson. Que craint-il exactement ?
❼ Comment les hommes du *Whitebird* agissent-ils lorsqu'ils abordent l'île ? Quel champ lexical leur est associé dans les lignes 2496 à 2508 (p. 135-136) ?
❽ À la page 135, quels adjectifs péjoratifs indiquent que Robinson n'apprécie pas les hommes du *Whitebird* ? À quel petit animal les compare-t-il page 136 ? Pourquoi ?
❾ Après son déjeuner avec Hunter et Joseph, de quoi Robinson prend-il conscience ? Relevez les deux facettes du portrait qu'il fait de lui-même dans ce passage.

Une fin ouverte

⑩ Au début du trente-cinquième chapitre (p. 141-145), pourquoi peut-on imaginer que le roman aura une fin dramatique ? Quel type de phrases, apparaissant plusieurs fois aux pages 141 et 142, traduit la tension de Robinson ?
⑪ Quel est l'état d'esprit de Robinson lorsqu'il comprend que Vendredi a quitté l'île ? Relevez, dans les lignes 2656 à 2687, les expressions montrant sa souffrance.
⑫ Pourquoi Robinson décide-t-il d'appeler son nouveau compagnon Dimanche ? Quel point commun entre ces deux personnages justifie l'emploi du mot « frère » à la ligne 2742 ?
⑬ Expliquez en quoi les dernières pages du récit peuvent aussi être considérées comme celles du début d'un roman.

Rappelez-vous !
Le dénouement réunit les événements qui précipitent la fin de l'histoire. Dans ce roman, les dernières pages proposent un retournement de situation : Vendredi abandonne l'île alors que Robinson préfère y rester. La fin du texte est ouverte grâce à l'apparition d'un nouveau personnage sur Speranza : Dimanche.

De la lecture à l'écriture

Des mots pour mieux écrire

❶ ***Les verbes suivants appartiennent au champ lexical du changement :*** métamorphoser, altérer, modifier, transformer, évoluer.
Employez chacun d'eux dans une phrase qui en éclairera le sens.

❷ ***Recopiez le tableau ci-dessous et, en vous aidant du dictionnaire, complétez-le en classant les mots suivants qui appartiennent au champ lexical des sentiments :*** chagrin, humiliation, euphorie, fureur, affliction, exaspération, désespoir, crainte, embarras, courroux, appréhension, bonheur, mélancolie, gêne, satisfaction, frayeur, irritation, gaieté.

Tristesse	Joie	Peur	Colère	Honte

À vous d'écrire

❶ Imaginez un autre dénouement à *Vendredi ou la Vie sauvage*.
Au lieu de rester sur l'île de Speranza, Robinson décide de rentrer dans son pays natal et d'emmener Vendredi avec lui. Racontez l'arrivée des deux amis sur le sol britannique, puis les retrouvailles de Robinson avec sa famille.
Consigne. Votre récit sera écrit à la troisième personne et au passé. Vous vous aiderez des exercices de vocabulaire précédents pour décrire la façon dont Robinson perçoit ses proches et pour évoquer les sentiments qu'il éprouve.

❷ Écrivez une suite au roman. Vous pouvez, par exemple, raconter la destinée de Vendredi à partir de son embarquement sur le *Whitebird*.
Consigne. Votre récit sera écrit à la troisième personne du singulier et au passé. Il fera environ vingt-cinq lignes.

Du texte à l'image

➡ Christo et Jeanne-Claude, *Surrounded Islands, Biscayne Bay, Greater Miami, Florida*, 1980-1983.
(Image reproduite au verso de la couverture, en fin d'ouvrage.)

Lire l'image

❶ Observez cette photographie et décrivez-la avec précision (différents plans, formes et couleurs).
❷ Où se situe celui qui a pris cette photographie ? Comment appelle-t-on cet angle de vue ?
❸ Selon vous, pourquoi les artistes ont-ils choisi une toile de couleur rose ? Quel est l'effet produit ?

Comparer le texte et l'image

❹ Ces îles ressemblent-elles à l'île de Speranza ? Pourquoi ?
❺ Selon vous, quel personnage du roman aurait pu réaliser ces œuvres ? Pourquoi ?

À vous de créer

❻ Sur Internet ou dans votre CDI, faites une recherche sur Christo et Jeanne-Claude. Aidez-vous du site qui leur est consacré : http://www.christojeanneclaude.net. Trouvez des informations sur leur manière de réaliser leurs œuvres. Quels autres éléments de paysage ont-ils transformés ?

Arrêt sur l'œuvre

Des questions sur l'ensemble du roman

Une histoire d'amitié

❶ Dans le roman de Daniel Defoe, Vendredi est tout au long du roman le serviteur de Robinson. Selon vous, pourquoi Michel Tournier a-t-il inversé la relation entre les deux personnages ?
❷ Quel est votre point de vue sur le départ de Vendredi ? Que pensez-vous de la réaction de Robinson ?
❸ Quels épisodes du roman montrent que, pour Robinson comme pour Vendredi, l'homme n'est pas fait pour vivre seul ?

La confrontation de deux cultures

❹ Comparez les réactions de Robinson et celles de Vendredi au moment de l'explosion de la grotte.
❺ Comment Robinson considère-t-il les animaux ? Est-ce la vision de Vendredi ? Justifiez votre réponse par quelques citations.
❻ En quoi la cuisine de Vendredi est-elle créative ? L'opinion de Robinson sur la cuisine de son pays a-t-elle évolué entre le début et la fin du roman ?

Un hymne à la nature et à la liberté

❼ Comparez la perception de l'île qu'a Robinson au début et à la fin du roman.
❽ Comment Robinson a-t-il évolué physiquement tout au long du roman ? En quoi la vie sauvage lui a-t-elle été bénéfique ?
❾ Retrouvez les épisodes montrant que la vie sauvage menée par les deux hommes est souvent poétique. Quel épisode vous a le plus plu ?

Des mots pour mieux écrire

Lexique de la nature

Antre : caverne, grotte, servant de repaire à un animal.
Atoll : île de corail au centre de laquelle se trouve un lagon.
Estuaire : partie de l'embouchure d'un fleuve où l'eau douce et l'eau de mer se rejoignent.
Étang : bassin d'eau stagnante.
Fourré : massif épais d'arbustes, buisson.
Jungle : forêt tropicale à la végétation dense.
Lagon : petit lac d'eau de mer au centre d'un cercle formé par le récif corallien.
Lande : zone recouverte d'une végétation sauvage et de taille moyenne.
Monticule : petite montagne.
Piton : pic rocheux.
Savane : prairie pauvre des régions tropicales peuplée d'animaux sauvages.
Taillis : partie d'une forêt où les arbres sont plus petits.
Torrent : cours d'eau dans une forte pente, au débit rapide et irrégulier.
Verger : terrain planté d'arbres fruitiers.

Complétez les phrases suivantes à l'aide de mots du lexique de la nature.

a. Les fruits cueillis directement aux arbres du ____________ sont bien meilleurs.
b. Cela vaut la peine d'escalader ce ____________, car de là-haut le panorama est magnifique.

c. L'animal effrayé par la présence de l'humain préfère se tapir dans son ____________.

d. L'eau du ____________ est turquoise et tiède, il fait bon s'y baigner.

e. L'enfant ne retrouvera plus son ballon qui a été emporté par les eaux du ____________.

Lexique de la navigation

Abordage : moment où l'équipage d'un bateau monte à bord d'un autre navire pour s'en rendre maître.
Amarrer : maintenir le bateau contre un quai ou une paroi avec des cordages.
Ancre : objet très lourd qui, relié au bateau par un cordage, permet de l'immobiliser en se fixant au fond de l'eau.
Bâbord : la gauche d'un navire lorsque l'on regarde vers l'avant.
Cale : remise située sous le pont d'un bateau pour stocker les marchandises.
Gouvernail : ce qui sert à diriger le bateau.
Hisser : action de monter une voile.
Mât : pilier d'un bateau portant les voiles.
Mousse : jeune garçon employé sur un navire pour y apprendre le métier de marin.
Pavillon : drapeau hissé sur le mât du navire.
Poupe : partie arrière du bateau.
Proue : partie avant du bateau.
Renflouer : réparer une épave pour qu'elle soit en état de flotter.
Tribord : la droite d'un navire lorsqu'on regarde vers l'avant.
Vigie : poste d'observation sur un navire ou marin occupant ce poste.

De nombreuses expressions françaises sont issues du vocabulaire de la navigation. En vous aidant du dictionnaire, expliquez chacune des expressions suivantes, puis employez-les dans une phrase qui en éclairera le sens.

a. Avoir le vent en poupe.

b. Mettre toutes voiles dehors.

c. Redresser la barre.

d. Baisser pavillon devant quelqu'un.

e. Être une figure de proue.

Mots croisés

Tous les mots à placer dans la grille ci-dessous se trouvent dans le lexique de la navigation.

Horizontalement

A. Mettre son bateau à quai.
B. C'est grâce à lui que Robinson sait que le *Whitebird* est un navire anglais.
C. Incarné par le personnage de Jean.
D. Sans elle, le bateau part à la dérive.
E. Aux mains du commandant, il décide de la direction à prendre.

Verticalement

1. Elle permet de voir ce qui se présente à l'horizon.
2. Ordre d'assaut contre un autre bateau.
3. Élément vertical dressé sur le pont d'un navire.
4. C'est le contraire de bâbord.
5. Faire parvenir la voile en haut du mât.

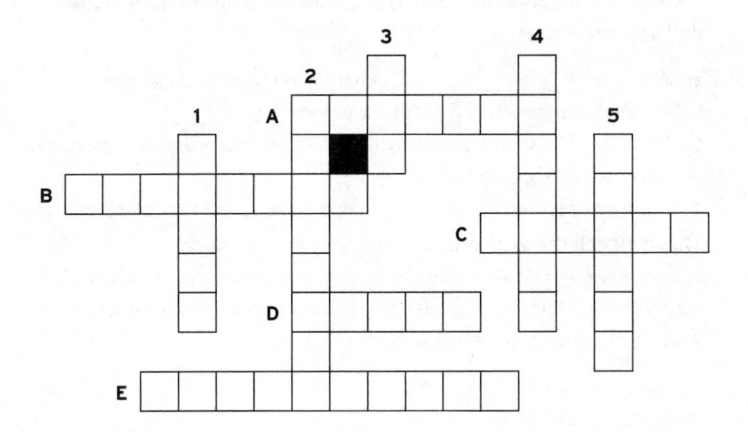

Lexique de l'apprentissage

Apprenti : personne, souvent jeune, qui apprend un métier au contact d'une personne plus expérimentée.
Assimiler : comprendre et retenir le savoir qui nous a été donné.
Cultivé : qui réunit un grand nombre de connaissances générales.
Disciple : élève qui a reçu l'enseignement d'un maître et qui suit son exemple.
Docte : très savant.
Érudition : savoir approfondi accumulé après un long temps passé à étudier.
Inculquer : transmettre un savoir ou des valeurs de façon profonde et durable.
Initier : faire découvrir à quelqu'un d'autre une pratique ou des connaissances que l'on maîtrise.
Instruire : donner un enseignement.
Novice : personne débutant dans un domaine.
Pédagogue : personne qui a l'art d'expliquer et de transmettre ses connaissances.
Professer : enseigner.
Studieux : qui a le goût de l'étude.

Complétez les phrases suivantes à l'aide des mots du lexique de l'apprentissage.

a. La lionne ____________ les rudiments de la chasse à ses petits.
b. Sois indulgent avec lui, il débute : c'est encore un ____________.
c. J'ai du mal à comprendre les explications de mon professeur de piano. Je crois qu'il n'est pas très bon ____________.
d. Si tu n'avais pas été là, je n'aurais jamais découvert l'art de cuisiner ; c'est toi qui m'y as ____________.

À vous de créer

❶ *Ouvrir un forum de discussion sur* Vendredi ou la Vie sauvage

Créez et ouvrez un forum de discussion sur Internet dans lequel vos camarades de classe et vous échangerez vos impressions sur le roman de Michel Tournier. Vous pourrez lancer des débats ou poser des questions sur le sens d'un épisode du roman.

Étape 1. Préparation de votre projet

– Choisissez un sujet de discussion sous forme de question.
Par exemple : « Avez-vous aimé étudier *Vendredi ou la Vie sauvage* en classe ? »
– Rédigez un texte d'une vingtaine de lignes pour répondre à ce sujet de discussion.
– Prévoyez d'autres questions sur l'ensemble du roman ou sur des épisodes en particulier. Pensez dans ce cas aux épisodes les plus marquants : la rencontre avec Vendredi, l'explosion de la grotte, le départ de Vendredi, etc.

Étape 2. Création du forum

Avec l'aide de votre professeur de technologie, ouvrez votre forum en ligne sur le site Internet de la classe ou sur celui de votre collège. Veillez à ce que les interventions des différents participants soient soumises au contrôle préalable d'un adulte, par exemple le professeur de français.

Étape 3. Animation du forum

Proposez régulièrement de nouveaux sujets de discussion grâce à votre travail préparatoire.

❷ *Inventer une recette de cuisine originale*

En vous inspirant de la cuisine créative de Vendredi, proposez vous aussi une recette qui sorte de l'ordinaire.

Étape 1. Conception

– Relisez l'épisode concernant la cuisine de Vendredi, p. 92-94.
– Imaginez de la même manière une association peu courante entre des aliments comestibles (sucré/salé, cru/cuit, par exemple).

Étape 2. Rédaction

– Faites la liste des ingrédients dont vous allez avoir besoin.
– Rédigez les différentes étapes de la réalisation du plat au présent de l'impératif et à la deuxième personne du pluriel.

Groupements de textes

Robinsonnades d'hier et d'aujourd'hui

Daniel Defoe, *Robinson Crusoé*

Publié en 1719, *Robinson Crusoé* de Daniel Defoe (1660-1731) donne naissance au genre de la robinsonnade. L'auteur s'inspire de l'histoire vraie d'Alexander Selkirk, un marin ayant vécu quatre ans sur une île déserte. Daniel Defoe invente le personnage de Robinson Crusoé et en fait le héros d'une aventure passionnante et hors du commun. Voici le moment où Robinson échoue sur l'île qu'il habitera durant vingt-huit ans.

Je commençai à regarder à l'entour de moi, pour voir en quelle sorte de lieu j'étais, et ce que j'avais à faire. Je sentis bientôt mon contentement diminuer, et qu'en un mot ma délivrance était affreuse, car j'étais trempé et n'avais pas de vêtements pour me changer, ni rien à manger ou à boire pour me réconforter. Je n'avais non plus d'autre perspective que celle de mourir de faim ou d'être dévoré par les bêtes féroces. Ce qui m'affligeait particulièrement, c'était de ne point avoir d'arme pour chasser et tuer quelques animaux pour ma subsistance, ou pour me défendre contre n'importe quelles créatures qui voudraient me tuer pour la leur. Bref, je n'avais rien sur moi, qu'un couteau, une pipe à tabac, et un peu de tabac dans une boîte. C'était là toute ma provision ; aussi tombai-je dans une si terrible désolation d'esprit, que pendant quelque temps je courus çà et là comme un insensé. À la tombée du jour, le cœur plein de tristesse, je commençai à considérer quel serait mon sort s'il y avait en cette contrée des bêtes dévorantes, car je n'ignorais pas qu'elles sortent à la nuit pour rôder et chercher leur proie.

La seule ressource qui s'offrit alors à ma pensée fut de monter à un arbre épais et touffu, semblable à un sapin, mais épineux, qui croissait près de là, et où je résolus de m'établir pour toute la nuit, laissant au lendemain à considérer de quelle mort il me faudrait mourir ; car je n'entrevoyais encore nul moyen d'existence. Je m'éloignai d'environ un demi-quart de mille[1] du rivage, afin de voir si je ne trouvais point d'eau douce pour étancher ma soif : à ma grande joie, j'en rencontrai. Après avoir bu, ayant mis un peu de tabac dans ma bouche pour prévenir la faim, j'allai à l'arbre, je montai dedans, et je tâchai de m'y placer de manière à ne pas tomber si je venais à m'endormir ; et, pour ma défense, ayant coupé un bâton court, semblable à un gourdin, je pris possession de mon logement. Comme j'étais extrêmement fatigué, je tombai dans un profond sommeil, et je dormis confortablement comme peu de personnes, je pense, l'eussent pu faire en ma situation, et je m'en trouvai plus soulagé que je crois l'avoir jamais été dans une occasion de ce genre.

Lorsque je m'éveillai il faisait grand jour ; le temps était clair, l'orage était abattu, la mer n'était plus ni furieuse ni houleuse[2] comme la veille. Mais quelle fut ma surprise en voyant que le vaisseau avait été, par l'élévation de la marée, enlevé, pendant la nuit, du banc de sable où il s'était engravé[3], et qu'il avait dérivé presque jusqu'au récif dont j'ai parlé plus haut, et contre lequel j'avais été précipité et meurtri. Il était environ à un mille du rivage, et comme il paraissait poser encore sur sa quille[4], je

1. **Mille** : mesure de distance utilisée en marine (1 mille = 1852 mètres).
2. **Houleuse** : agitée.
3. **Engravé** : échoué.
4. **Quille** : pièce de bois située sous un bateau, lui permettant de garder l'équilibre et soutenant sa charpente.

souhaitai d'aller à bord, afin de sauver au moins quelques choses nécessaires pour mon usage.

Daniel Defoe, *Robinson Crusoé* [1719], trad. de l'anglais par P. Borel, Gallimard, « Folio junior », 2008.

Jules Verne, *L'Île mystérieuse*

Dans *L'Île mystérieuse* de Jules Verne (1828-1905), roman publié en 1874, cinq prisonniers américains prennent la fuite en ballon pendant la guerre de Sécession. Ils s'écrasent sur le rivage d'une île qu'ils vont peu à peu, grâce à l'ingénieur Cyrus Smith, exploiter par des méthodes scientifiques.

Quelques instants après, les trois chasseurs se trouvaient devant un foyer pétillant. Cyrus Smith et le reporter étaient là. Pencroff les regardait l'un et l'autre, sans mot dire, son cabiai[1] à la main.

« Eh bien, oui, mon brave, s'écria le reporter. Du feu, du vrai feu, qui rôtira parfaitement ce magnifique gibier dont nous nous régalerons tout à l'heure !

– Mais qui a allumé ?... demanda Pencroff.

– Le soleil ! »

La réponse de Gédéon Spilett était exacte. C'était le soleil qui avait fourni cette chaleur dont s'émerveillait Pencroff. Le marin ne voulait pas en croire ses yeux, et il était tellement ébahi, qu'il ne pensait pas à interroger l'ingénieur.

« Vous aviez donc une lentille, monsieur ? demanda Harbert à Cyrus Smith.

– Non, mon enfant, répondit celui-ci, mais j'en ai fait une. »

Et il montra l'appareil qui lui avait servi de lentille. C'étaient tout simplement les deux verres qu'il avait enlevés à la montre du reporter et à la sienne. Après les avoir remplis d'eau et rendu leurs bords adhérents au moyen d'un peu de glaise, il s'était ainsi fabriqué une véritable lentille, qui, concentrant les rayons solaires sur une mousse bien sèche, en avait déterminé la combustion.

---

1. **Cabiai** : grand rongeur d'Amérique du Sud, appelé aussi « cochon d'eau ».

Le marin considéra l'appareil, puis il regarda l'ingénieur sans prononcer un mot. Seulement, son regard en disait long ! Si, pour lui, Cyrus Smith n'était pas un dieu, c'était assurément plus qu'un homme. Enfin la parole lui revint, et il s'écria :

« Notez cela, monsieur Spilett, notez cela sur votre papier !

– C'est noté », répondit le reporter.

Puis, Nab aidant, le marin disposa la broche, et le cabiai, convenablement vidé, grilla bientôt, comme un simple cochon de lait, devant une flamme claire et pétillante.

Jules Verne, *L'Île mystérieuse* [1874],
Gallimard, « Folio junior », 2010.

William Golding, *Sa Majesté des Mouches*

Dans son premier roman publié en 1954, William Golding (1911-1993) met en scène un groupe d'enfants après leur accident d'avion au-dessus du Pacifique. Livrés à eux-mêmes, ils élisent l'un d'entre eux, Ralph, comme chef. Après avoir effectué un tour de reconnaissance, Jack, Simon et Ralph sont en mesure d'annoncer aux autres enfants qu'ils sont sur une île déserte. Cette information conduit le groupe à organiser sa survie.

Ralph s'assit sur un tronc tombé, le côté gauche exposé au soleil. À sa droite se trouvait la maîtrise[1] presque au complet ; à sa gauche, les plus grands qui s'étaient connus avant l'évacuation ; devant lui, des petits étaient assis en tailleur dans l'herbe.

Tous se taisaient. Ralph porta à ses lèvres le coquillage rose et blanc et une brise soudaine éparpilla de la lumière sur le plateau. Se demandant s'il devait se lever ou rester assis, il lança un regard de côté sur sa gauche vers la piscine[2]. Porcinet, assis près de lui, n'offrait aucune suggestion.

Ralph s'éclaircit la voix.

« Eh bien !... »

---

1. **Maîtrise** : chorale d'enfants attachée à une institution religieuse.
2. **Piscine** : c'est par ce mot que le lagon, dans lequel les enfants du roman se baignent, est désigné.

Il s'aperçut tout à coup qu'il savait parler sans hésitation et bien exprimer sa pensée. Il passa une main dans ses cheveux blonds et commença :

« Nous sommes dans une île. Nous avons atteint le sommet de la montagne et vu de l'eau tout autour. Il n'y avait pas de maisons, pas de fumée, pas de traces de pas, pas de bateaux et pas de gens. C'est une île déserte. »

Jack l'interrompit.

« Malgré ça, il nous faut une armée… pour la chasse. La chasse aux cochons sauvages…

– Oui, on en a vu dans l'île. »

Tous les trois à la fois essayèrent d'exprimer ce qu'ils avaient ressenti devant ce morceau de chair rose et vivante qui se débattait dans les lianes.

« On a vu…

– Il criait…

– Il s'est sauvé…

– J'ai pas eu le temps de le tuer… mais… la prochaine fois… »

Jack planta son couteau dans un tronc et lança un regard de défi à la ronde.

La réunion reprit son cours.

« Alors vous comprenez, expliqua Ralph, on a besoin de chasseurs pour rapporter de la viande. Et d'autres choses encore. »

Il posa la conque sur ses genoux et couvrit d'un regard circulaire les visages marbrés de soleil.

« Il n'y a pas de grandes personnes. Il faudra se débrouiller tout seuls. »

Un murmure s'éleva et se tut.

« Autre chose encore. Tout le monde ne doit pas parler à la fois. Il faudra lever le doigt comme en classe. »

Il éleva la conque à hauteur de son visage et regarda son ouverture.

« Et je passerai la conque à celui qui voudra parler.

– Qu'est-ce que c'est ?

– Conque, c'est comme ça qu'on appelle ce coquillage. Je donnerai la conque à qui voudra parler et il la tiendra.

– Mais…

– Écoute…
– Et personne ne devra l'interrompre. Sauf moi. »
Jack bondit sur ses pieds.
« On aura des règlements, s'écria-t-il avec enthousiasme. Des tas de règlements. Alors, ceux qui désobéiront… »

William Golding, *Sa Majesté des Mouches* [1954],
trad. de l'anglais par L. Tranec, Belin-Gallimard, « Classico », 2008.

Felice Holman, *Le Robinson du métro*

La romancière américaine Felice Holman (née en 1919) transpose le mythe de Robinson à l'époque contemporaine. Son héros, Slake, un garçon de treize ans, prend la fuite dans le métro new-yorkais et découvre, dans l'un des tunnels, une petite grotte secrète où il décide de vivre. Slake organise sa survie souterraine en vendant des journaux et en balayant le sol d'un snack en échange d'un peu de nourriture.

Quand Slake se retirait pour la nuit, il se livrait à un petit rituel qui faisait partie des habitudes de la journée et ajoutait au confort du lendemain matin. Il étendait une feuille de journal fraîche sur la caisse en carton qui lui servait de table, puis y disposait son petit déjeuner : les biscottes, une orange ou une pomme, des beignets ou des biscuits ou toute autre friandise que la serveuse avait mise dans son sac ce jour-là. Il posait une boîte d'eau à côté de ces nourritures et se préparait ainsi un authentique repas ; on n'aurait pas fait mieux de l'autre côté du mur à l'Hôtel Commodore. Et servi dans sa chambre par-dessus le marché.

Assez rapidement après l'arrivée de Slake dans le métro, avant même que fût apparu le luxe de fruits ou de friandises, une autre créature fit son entrée en scène, très intéressée elle aussi par ce petit déjeuner. Slake s'éveilla un matin, tendit la main vers ses lunettes puis jeta un coup d'œil à son festin pour s'encourager à se lever. Il cligna des yeux et regarda à nouveau. Aucun doute : il avait bien vu et il voyait bien, et ce qu'il voyait était un rat occupé à prendre son petit déjeuner. Slake se pétrifia. Élevé dans un monde où on apprend très tôt à haïr les rats, il éprouva avant tout l'envie de hurler et de chasser cette sale bête. Oui mais, le rat n'allait-il pas faire face et attaquer? Là où Slake avait vécu, il n'était pas rare que les rats attaquent. Aussi, Slake ne fit rien. Il resta sans bouger et regarda le rongeur dévorer son petit déjeuner.

Felice Holman, *Le Robinson du métro* [1974], trad. de l'anglais par J. La Gravière, Casterman, «Bibliopoche», 2010.

Michel Tournier, *Le Vent Paraclet*

Dans *Le Vent Paraclet*, Michel Tournier (né en 1924) s'explique sur ses livres et sur ses sources d'inspiration. Il consacre un chapitre de ce texte à son attrait pour le mythe de Robinson. Dans l'extrait suivant, il raconte le fait divers qui a donné naissance à l'intrigue du roman de Daniel Defoe, *Robinson Crusoé*.

Le 31 janvier 1709, un canot occupé par six hommes armés et un officier se détacha du *Duke*, navire de guerre anglais équipé de trente canons, et aborda la plage de l'île Más a Tierra, la plus importante de l'archipel Juan Fernández situé dans l'océan Pacifique à six cents kilomètres à l'est de Santiago du Chili. Les hommes eurent bientôt la surprise de voir gesticuler à terre un personnage hirsute, vêtu de peaux de chèvres. L'un d'eux lui demanda quel était le meilleur endroit pour atterrir. L'inconnu répondit à grands gestes et bondit de rocher en rocher à leur rencontre.

Il s'appelait Alexandre Selcraig, mais Selkirk était son nom de mer, car la coutume voulait alors qu'on changeât de patronyme en s'engageant sur un navire. Au printemps de l'année 1703, il avait quitté sa ville natale, Largo, un petit port de la côte écossaise pour s'engager à Londres sur le *Cinq Ports* – quatre-vingt-dix tonneaux, seize canons, soixante-trois hommes – qui devait en compagnie d'un autre navire, le *Saint-George*, donner la chasse dans le Pacifique aux galions espagnols chargés de métaux précieux. À vingt-sept ans Selkirk n'était plus un novice. Fait prisonnier par des pirates, il avait été vendu à un boucanier français à Saint-Domingue. Là pendant trois années, il avait forcé, tué et dépecé des taureaux et des vaches sauvages dont la chair fumée était d'un fructueux rapport. Son surnom – Tête de pierre – en disait long sur son caractère.

Aussi bien sa mésentente avec le lieutenant Thomas Stradling commandant le *Cinq Ports* éclata-t-elle dès le début de la course et ne cessa d'empirer, d'autant plus que l'expédition se révéla décevante. C'est pourquoi à l'occasion d'une relâche à Más a Tierra où les deux navires s'étaient rejoints en février, Selkirk avait-il exploré l'île et noté toutes ses ressources dans une intention bien arrêtée. Il faut ajouter que cet homme fort et fruste croyait aux présages et qu'un rêve lui avait prédit le sort le plus lamentable pour le *Cinq Ports* et ses hommes. Qu'importe, ce premier contact de Robinson et de son île a quelque chose d'émouvant. Bien que déserte, elle était parfaitement habitable. Au demeurant elle avait eu un habitant de 1680 à 1683, un Indien Mosquito oublié par un navire et qui n'avait été recueilli que trois ans, deux mois et onze jours plus tard, en excellente santé. En somme Vendredi avait précédé Robinson de plus de vingt ans, manquant ainsi un rendez-vous mémorable. Il faudra le génie de Daniel Defoe pour réparer cette erreur du destin.

En septembre l'affaire était décidée entre Selkirk et Stradling. Le *Cinq Ports* ayant à nouveau fait escale à Más a Tierra repartirait sans l'Écossais. On le déposa sur la plage avec son coffre personnel, un fusil, quelques munitions et une Bible.

Michel Tournier, *Le Vent Paraclet* [1977], Gallimard, « Folio », 1979.

Michael Morpurgo, *Le Royaume de Kensuké*

Dans le récit de l'auteur britannique Michael Morpurgo (né en 1943), Michael et ses parents partent faire le tour du monde à la voile. Lors d'une tempête, le jeune garçon est projeté hors du bateau. Il est sauvé de la noyade par Kensuké, un vieil homme qui vit sur une île depuis la Seconde Guerre mondiale. Passé la première méfiance, Kensuké et Michael se lient d'amitié. Cependant, Michael ne perd jamais l'espoir de revoir ses parents alors que Kensuké veut rester vivre en paix sur son île.

« Kensuké ! m'écriai-je, l'œil collé aux jumelles, Kensuké, c'est la *Peggy Sue*. C'est bien elle. Ils sont revenus me chercher ! Ils sont revenus ! »

Mais Kensuké ne me répondit pas. Je regardai autour de moi et m'aperçus qu'il n'était plus là.

Je le retrouvai à l'entrée de la maison-caverne, avec mon ballon de foot sur les genoux. Il leva les yeux vers moi et je compris, à son regard, ce qu'il allait me dire.

Il se leva, posa ses mains sur mes épaules et me regarda profondément dans les yeux.

« Tu m'écoutes très bien, maintenant, Micasan, me dit-il. Je suis trop vieux pour ce nouveau monde dont tu m'as parlé. C'est un monde très excitant, mais ce n'est pas mon monde. Mon monde était le Japon, il y a longtemps. Et maintenant, mon monde est ici. J'ai pensé à tout ça pendant longtemps. Si Kimi est vivante, si Michiya est vivant, alors ils pensent que je suis mort depuis longtemps. Je serais comme un fantôme si je revenais à la maison. Je ne suis plus la même personne. Ils ne sont plus les mêmes. Et en plus, j'ai famille ici, famille d'orangs-outans. Peut-être les tueurs viennent encore. Qui s'occupera d'eux alors ? Non, je reste dans mon île. Ma place est ici. C'est le royaume de Kensuké. Empereur doit rester dans son royaume, s'occuper de son peuple. Empereur ne s'enfuit pas. Ce n'est pas une chose honorable. »

Je vis aussitôt qu'il était inutile de plaider, de discuter ou de protester.

Il appuya son front contre le mien et me laissa pleurer.

« Tu vas, maintenant, poursuivit-il, mais avant de partir, tu promets trois choses. Un, tu peins tous les jours de ta vie, comme ça un jour tu es un grand artiste comme Hokusai. Deux, tu penses à moi parfois, peut-être souvent, quand tu es chez toi, en Angleterre. Quand tu vois la pleine lune, tu penses à moi, et moi je pense à toi. Comme ça jamais un n'oublie l'autre. La dernière chose tu promets est très importante pour moi. Très important tu ne dis rien de tout ça, rien de moi. Tu es venu ici seul. Toi toujours seul ici dans cet endroit, compris ? »

Michael Morpurgo, *Le Royaume de Kensuké* [1999], trad. de l'anglais par D. Ménard, Gallimard Jeunesse, « Folio junior », 2007.

Les chemins de l'apprentissage

Jean de Léry, *Histoire d'un voyage fait en la terre du Brésil*

En 1556, Jean de Léry (1534-1613) se rend au Brésil, cinquante ans après la découverte de ce pays. Dans le témoignage qu'il publie en 1578, il fait part de son expérience et s'attache à détruire les préjugés qu'ont les Européens à l'égard des Indiens.

Je veux aussi discourir, aussi bien sur ce que j'ai observé à propos de la façon de vivre des sauvages, qu'à propos d'autres choses singulières et inconnues chez nous, que j'ai vues dans leur pays.

En premier lieu donc (afin de commencer par le principal et de poursuivre avec ordre) les sauvages de l'Amérique, habitant la terre du Brésil, nommés *Toüoupinambaoults*, avec lesquels j'ai demeuré environ un an et que j'ai fréquentés familièrement, n'étant point plus grands, plus gros, ou plus petits de stature que nous sommes en Europe, n'ont le corps ni monstrueux ni prodigieux par rapport au nôtre. Mais ils sont plus forts, plus robustes et replets[1], plus dispos[2], moins sujets aux maladies; et il n'y en a même presque point de boiteux, de borgnes, de contrefaits, ni infirmes parmi eux. De plus, bien que plusieurs parviennent jusqu'à l'âge de cent ou cent vingt ans (car ils savent bien ainsi retenir et compter leur âge en lunes), il y en a peu qui en leur vieillesse aient les cheveux blancs ni gris. Choses qui montrent certainement le bon air et le bon climat de leur pays, dans lequel, comme je l'ai dit ailleurs, sans gelées ni froidures, les bois, les herbes et les champs sont toujours verdoyants, mais aussi (tous ces gens buvant vraiment à la fontaine de Jouvence[3]) le peu de soin et de souci qu'ils ont des choses de ce monde. Et, de fait, comme je le montrerai encore plus amplement ensuite, ils ne

---

1. **Replets**: dodus.
2. **Dispos**: agiles.
3. **Fontaine de Jouvence**: au Moyen Âge, fontaine magique qui rajeunit celui qui s'y plonge.

puisent, en quelque façon que ce soit en ces sources fangeuses[1], ou plutôt pestilentielles[2], dont découlent tant de ruisseaux qui nous rongent les os, nous sucent la moelle, nous affaiblissent le corps, et nous consument l'esprit, bref nous empoisonnent et nous font mourir avant notre heure, à savoir la provocation, la cupidité[3] qui en procède, les procès et les brouilles, la jalousie et l'ambition ; rien de tout cela ne les torture, ne les domine, aucune de ces passions ne les anime.

Jean de Léry, *Récits de voyage, Le Nouveau Monde*, adaptation de l'*Histoire d'un voyage fait en la terre du Brésil* [1578], GF-Flammarion, « Étonnants classiques », 2006.

Marivaux, *L'Île des esclaves*

Dans cette comédie, Marivaux (1688-1763) met en scène Iphicrate et son valet Arlequin ainsi qu'Euphrosine et sa suivante Cléanthis. Tous les quatre ont échoué sur une île où une loi impose aux maîtres et aux valets d'échanger leur condition. Le gouverneur de l'île entend ainsi montrer aux maîtres la dureté de leur conduite et amène les valets à pardonner à leurs maîtres. La scène X, avant-dernière de la pièce, célèbre la réconciliation des protagonistes.

Arlequin. – Mais enfin, je veux être un homme de bien ; n'est-ce pas là un beau projet ? Je me repens de mes sottises, lui des siennes ; repentez-vous des vôtres, Madame Euphrosine se repentira aussi ; et vive l'honneur après ! cela fera quatre beaux repentirs, qui nous feront pleurer tant que nous voudrons.

Euphrosine. – Ah ! ma chère Cléanthis, quel exemple pour vous !

Iphicrate. – Dites plutôt : quel exemple pour nous, Madame, vous m'en voyez pénétré.

Cléanthis. – Ah ! vraiment, nous y voilà, avec vos beaux exemples. Voilà de nos gens qui nous méprisent dans le monde,

1. **Fangeuses** : boueuses.
2. **Pestilentielles** : malsaines et puantes.
3. **Cupidité** : désir de richesse.

qui font les fiers, qui nous maltraitent, qui nous regardent comme des vers de terre, et puis, qui sont trop heureux dans l'occasion de nous trouver cent fois plus honnêtes gens qu'eux. Fi! que cela est vilain, de n'avoir eu pour tout mérite que de l'or, de l'argent et des dignités: c'était bien la peine de faire tant les glorieux! Où en seriez-vous aujourd'hui, si nous n'avions pas d'autre mérite que cela pour vous? Voyons, ne seriez-vous pas bien attrapés? Il s'agit de vous pardonner; et pour avoir cette bonté-là, que faut-il être, s'il vous plaît? Riche? non; noble? non; grand seigneur? point du tout. Vous étiez tout cela, en valiez-vous mieux? Et que faut-il être donc? Ah! nous y voici. Il faut avoir le cœur bon, de la vertu et de la raison[1]; voilà ce qu'il faut, voilà ce qui est estimable, ce qui distingue, ce qui fait qu'un homme est plus qu'un autre. Entendez-vous, Messieurs les honnêtes gens du monde? Voilà avec quoi l'on donne les beaux exemples que vous demandez, et qui vous passent[2]. Et à qui les demandez-vous? À de pauvres gens que vous avez toujours offensés, maltraités, accablés, tout riches que vous êtes, et qui ont aujourd'hui pitié de vous, tout pauvres qu'ils sont. Estimez-vous à cette heure, faites les superbes[3], vous aurez bonne grâce. Allez, vous devriez rougir de honte!

Arlequin. – Allons, ma mie, soyons bonnes gens sans le reprocher, faisons du bien sans dire d'injures. Ils sont contrits[4] d'avoir été méchants, cela fait qu'ils nous valent bien; car quand on se repent, on est bon; et quand on est bon, on est aussi avancé que nous. Approchez, Madame Euphrosine, elle vous pardonne, voici qu'elle pleure, la rancune s'en va et votre affaire est faite.

Cléanthis. – Il est vrai que je pleure, ce n'est pas le bon cœur qui me manque.

Euphrosine, *tristement.* – Ma chère Cléanthis, j'ai abusé de l'autorité que j'avais sur toi, je l'avoue.

---

1. **Raison**: sagesse.
2. **Qui vous passent**: que vous ne prenez même pas en compte, que vous ne concevez pas.
3. **Superbes**: arrogants, orgueilleux.
4. **Contrits**: désolés, repentants.

Cléanthis. – Hélas ! comment en aviez-vous le courage ? Mais voilà qui est fait, je veux bien oublier tout, faites comme vous voudrez. Si vous m'avez fait souffrir, tant pis pour vous, je ne veux pas avoir à me reprocher la même chose, je vous rends la liberté ; et s'il y avait un vaisseau, je partirais tout à l'heure avec vous : voilà tout le mal que je vous veux ; si vous m'en faites encore, ce ne sera pas ma faute.

Marivaux, *L'Île des esclaves* [1725],
Belin-Gallimard, « Classico », 2020.

Antoine de Saint-Exupéry, *Le Petit Prince*

Le Petit Prince **est l'œuvre la plus lue d'Antoine de Saint-Exupéry (1900-1944). Dans ce conte, un aviateur tombe en panne en plein désert et fait la rencontre d'un enfant venu d'une autre planète. Au fil de leurs conversations, l'enfant transmet à l'adulte une série de leçons sur la vie. Cet extrait revient sur ce que le petit prince a appris lorsqu'il a apprivoisé un renard.**

Ainsi le petit prince apprivoisa le renard. Et quand l'heure du départ fut proche :

« Ah ! dit le renard… Je pleurerai.

– C'est ta faute, dit le petit prince, je ne te souhaitais point de mal, mais tu as voulu que je t'apprivoise…

– Bien sûr, dit le renard.

– Mais tu vas pleurer ! dit le petit prince.

– Bien sûr, dit le renard.

– Alors tu n'y gagnes rien !

– J'y gagne, dit le renard, à cause de la couleur du blé. »

Puis il ajouta :

« Va revoir les roses. Tu comprendras que la tienne est unique au monde. Tu reviendras me dire adieu, et je te ferai cadeau d'un secret. »

Le petit prince s'en fut revoir les roses :

« Vous n'êtes pas du tout semblables à ma rose, vous n'êtes rien encore, leur dit-il. Personne ne vous a apprivoisées et vous n'avez apprivoisé personne. Vous êtes comme était mon renard.

Ce n'était qu'un renard semblable à cent mille autres. Mais j'en ai fait mon ami, et il est maintenant unique au monde. »

Et les roses étaient bien gênées.

« Vous êtes belles, mais vous êtes vides, leur dit-il encore. On ne peut pas mourir pour vous. Bien sûr, ma rose à moi, un passant ordinaire croirait qu'elle vous ressemble. Mais à elle seule elle est plus importante que vous toutes, puisque c'est elle que j'ai arrosée. Puisque c'est elle que j'ai mise sous globe. Puisque c'est elle que j'ai abritée par le paravent. Puisque c'est elle dont j'ai tué les chenilles (sauf les deux ou trois pour les papillons). Puisque c'est elle que j'ai écoutée se plaindre, ou se vanter, ou même quelquefois se taire. Puisque c'est ma rose. »

Et il revint vers le renard :

« Adieu, dit-il...

– Adieu, dit le renard. Voici mon secret. Il est très simple : on ne voit bien qu'avec le cœur. L'essentiel est invisible pour les yeux.

– L'essentiel est invisible pour les yeux, répéta le petit prince, afin de se souvenir.

– C'est le temps que tu as perdu pour ta rose qui fait ta rose si importante.

– C'est le temps que j'ai perdu pour ma rose... fit le petit prince, afin de se souvenir.

– Les hommes ont oublié cette vérité, dit le renard. Mais tu ne dois pas l'oublier. Tu deviens responsable pour toujours de ce que tu as apprivoisé. Tu es responsable de ta rose...

– Je suis responsable de ma rose... » répéta le petit prince, afin de se souvenir.

Antoine de Saint-Exupéry, *Le Petit Prince* [1943],
Gallimard, « Folio junior », 2007.

Joseph Kessel, *Le Lion*

C'est en 1958 que Joseph Kessel (1898-1979) publie *Le Lion*, où il raconte le destin d'une petite fille, Patricia, qui vit avec ses parents au sein d'une réserve naturelle en Afrique. Le narrateur du roman se lie d'amitié avec Patricia qui lui apporte les clefs d'une connaissance hors du commun sur les animaux de la brousse. Cet extrait décrit la première rencontre des deux personnages.

« Ces bêtes ne sont à personne, reprit Patricia. Elles ne savent pas obéir. Même quand elles vous accueillent, elles restent libres. Pour jouer avec elles, vous devez connaître le vent, le soleil, les pâturages, le goût des herbes, les points d'eau. Et deviner leur humeur. Et prendre garde au temps des mariages, à la sécurité des petits. On doit se taire, s'amuser, courir, respirer comme elles.

– C'est votre père qui vous a enseigné tout cela ? demandai-je.

– Mon père ne sait pas la moitié de ce que je sais, répondit Patricia. Il n'a pas le temps. Il est trop vieux. J'ai appris seule, toute seule. »

Patricia leva soudain les yeux vers moi et je découvris sur le petit visage hâlé, têtu et fier, un sentiment dont il semblait incapable : une hésitation presque humble.

« Est-ce que… dites-le-moi… vraiment… je ne vous ennuie pas si je continue à parler des bêtes ? » demanda Patricia.

Voyant mon étonnement, elle ajouta très vite :

« Ma mère assure que les grandes personnes ne peuvent pas s'intéresser à mes histoires.

– Je voudrais passer la journée entière à les écouter, répondis-je.

– C'est vrai ! C'est vrai ! » […]

Ainsi s'ouvrait à ma connaissance, tel un sous-bois subitement infiltré de soleil, la profonde et limpide épaisseur de la vie animale.

Je voyais les gîtes[1] nocturnes d'où l'aube avait tiré chacune de ces tribus et les lieux vers lesquels elles allaient se disperser après la trêve de l'eau. Et les plaines, les collines, les fourrés, les taillis,

---

1. **Gîtes** : lieux où s'abritent les bêtes.

les savanes de la Réserve immense que j'avais traversée la veille, devenaient pour moi les territoires, les abris, les demeures, les patries de chaque espèce et de chaque famille.

Là bondissaient les impalas[1] et là broutaient les buffles. Là galopaient les zèbres et là jouaient les éléphants.

Soudain il me vint à l'esprit que, dans ce peuple, un clan manquait, et sans doute le plus beau.

« Et les fauves ? » demandai-je à Patricia.

Cette question ne la surprit point. On eût dit qu'elle l'attendait et dans l'instant même où je la faisais.

Je sentis à cela que nous étions arrivés à un degré d'entente où la différence d'âge ne comptait plus. L'intensité et la franchise d'un intérêt, d'un besoin communs avaient établi, par le truchement[2] des bêtes sauvages, la complicité et l'égalité entre un enfant et un homme qui, depuis très longtemps, avait cessé de l'être.

Joseph Kessel, *Le Lion* [1958], Belin-Gallimard, « Classico », 2010.

Éric-Emmanuel Schmitt, *Monsieur Ibrahim et les Fleurs du Coran*

Dans ce récit adapté d'une pièce de théâtre, Éric-Emmanuel Schmitt (né en 1960) raconte l'enfance de Moïse, un garçon juif de onze ans abandonné par sa mère puis par son père. Au contact de Monsieur Ibrahim, un vieil épicier musulman qui vit dans sa rue, Moïse apprend à devenir un jeune homme. Ils décident de faire ensemble un long voyage. En route, le vieil homme fait découvrir à Moïse les derviches tourneurs, ces religieux musulmans tournant sur eux-mêmes dans une danse spirituelle.

Un tambour retentissait. Et les moines se transformaient alors en toupies.

« Tu vois, Momo ! Ils tournent sur eux-mêmes, ils tournent autour de leur cœur qui est le lieu de la présence de Dieu. C'est comme une prière.

---

1. **Impalas** : antilopes.
2. **Par le truchement** : par l'intermédiaire.

– Vous appelez ça une prière, vous?

– Mais oui, Momo. Ils perdent tous les repères terrestres, cette pesanteur qu'on appelle l'équilibre, ils deviennent des torches qui se consument dans un grand feu. Essaie, Momo, essaie. Suis-moi. »

Et monsieur Ibrahim et moi, on s'est mis à tourner.

Pendant les premiers tours, je me disais: *Je suis heureux avec monsieur Ibrahim.* Ensuite, je me disais: *Je n'en veux plus à mon père d'être parti.* À la fin, je pensais même: *Après tout, ma mère n'avait pas vraiment le choix lorsqu'elle...*

« Alors, Momo, tu as senti de belles choses?

– Ouais, c'était incroyable. J'avais la haine qui se vidangeait[1]. Si les tambours ne s'étaient pas arrêtés, j'aurais peut-être traité le cas de ma mère. C'était vachement agréable de prier, m'sieur Ibrahim, même si j'aurais préféré prier en gardant mes baskets. Plus le corps devient lourd, plus l'esprit devient léger. »

À partir de ce jour-là, on s'arrêtait souvent pour danser dans des tekkés[2] que connaissait monsieur Ibrahim. Lui parfois il ne tournait pas, il se contentait de prendre un thé en plissant les yeux mais, moi, je tournais comme un enragé. Non, en fait, je tournais pour devenir un peu moins enragé.

Éric-Emmanuel Schmitt, *Monsieur Ibrahim et les Fleurs du Coran* [2001], Magnard, « Classiques et contemporains », 2004.

1. **Vidangeait**: vidait.
2. **Tekkés**: monastères en Turquie.

Autour de l'œuvre

Interview de Michel Tournier

Comment êtes-vous devenu écrivain ?

Je n'aurais jamais écrit si j'avais été reçu à l'agrégation de philosophie. Mon but était d'enseigner la philosophie au lycée. Après mon échec à l'agrégation, je suis entré à la radio. Puis j'ai travaillé pour les éditions Plon. J'ai commencé à écrire très tard, à quarante-trois ans[1].

Michel Tournier (1924-2016)

Pourquoi avoir choisi le mythe de Robinson pour votre premier livre ?

Mon idée était de choisir un sujet hautement philosophique (avec des problèmes de connaissance, de temps, d'espace, de rapport à autrui, etc.) et, en même temps, d'écrire une histoire populaire qui intéresse tout le monde. Y compris les enfants. J'ai choisi Robinson Crusoé et ce fut *Vendredi ou les Limbes du Pacifique*. Il y a dans l'histoire de Robinson au moins deux sujets éminemment philosophiques: la solitude (Robinson passe vingt-huit ans seul sur son île) et le rapport à autrui (lorsque

1. Entretien avec François Busnel, *Lire*, 2006.

Vendredi arrive sur l'île)[1]. Sous quelque aspect qu'on l'envisage, Robinson est présent et vivant en chacun de nous. Son mythe est à coup sûr l'un des plus actuels et des plus vivants que nous possédions[2].

▸▸| *Selon vous,* Vendredi ou la Vie sauvage *est-il un livre pour les enfants ?*

Vendredi ou la Vie sauvage est un livre pour adultes que les enfants peuvent aussi lire. J'ai réécrit *Vendredi ou les Limbes du Pacifique* parce que ce roman était trop gras, trop lourd, trop philosophique[3]. Je n'écris jamais délibérément pour les enfants, mais parfois j'écris si bien que ce que j'ai écrit peut être lu par des enfants. Quand c'est moins réussi, ce que je fais est tout juste bon pour les adultes[4]. Je suis lu dans les classes ! C'est ma plus grande fierté[5].

▸▸| *Selon vous, peut-on donner le goût de la lecture aux enfants ?*

Bien sûr que l'on peut leur donner le goût de la lecture ! En faisant la lecture à haute voix, tout d'abord. Lorsque je vais dans les classes et que je dis aux enfants : « Je vais vous raconter une histoire », le silence se fait aussitôt. Je les tiens ! Et il ne faut pas les décevoir. Je crois que les enfants s'intéressent aux histoires qu'on leur raconte. Mais pour qu'ils se les approprient, il faut qu'ils les lisent eux-mêmes[6].

Dans tous mes livres, il y a une célébration de la curiosité et de la gourmandise. L'enfant doit être curieux de lire. En lisant mes livres, il faut qu'il se persuade que la vie est une aventure merveilleuse qui vaut la peine d'être tentée, avec tous les côtés négatifs que ça peut impliquer[7].

---

1. Entretien avec François Busnel, *Lire*, 2006.
2. Michel Tournier, *Le Vent Paraclet*, Gallimard, 1977.
3. Entretien avec François Busnel, *Lire*, 2006.
4. Propos cité dans *Images et signes de Michel Tournier*, Gallimard, 1991.
5. Entretien avec François Busnel, *Lire*, 2006.
6. Entretien avec François Busnel, *Lire*, 2006.
7. Propos cité dans *Images et signes de Michel Tournier*, Gallimard, 1991.

Contexte culturel

Michel Tournier, voyageur et philosophe

Avant de devenir écrivain, Michel Tournier a fait des études de philosophie. Il a été particulièrement influencé par les travaux de Claude Lévi-Strauss auprès de qui il a étudié l'ethnographie. L'ethnographie consiste à observer et à analyser, sur le terrain, les mœurs, les coutumes et l'organisation de peuples étrangers.

On comprend mieux, dès lors, pourquoi le thème du voyage revêt une place tellement importante dans l'œuvre de Michel Tournier. Pour lui, chaque voyage doit modifier en profondeur l'homme qui l'entreprend grâce à sa confrontation avec la différence et avec l'Autre. Le changement de climat, l'expérience d'une nouvelle culture et la rencontre avec d'autres peuples influent sur la personnalité du voyageur. Le voyage est donc un voyage initiatique duquel l'Homme ressort grandi comme Robinson se trouve métamorphosé par son expérience de la vie sauvage.

Michel Tournier, lecteur et conteur

Michel Tournier crée, dans ses œuvres, un lien entre la connaissance philosophique et le plaisir de la fiction romanesque. Il s'intéresse ainsi particulièrement aux mythes qui façonnent les lecteurs depuis l'enfance et dont la portée est universelle. Influencé par ses lectures enfantines (la comtesse de Ségur ou les *Contes* de Perrault notamment), il essaie de rendre accessibles aux plus jeunes des questionnements difficiles sur le sens de la vie. De ce point de vue, il s'identifie à un conteur cherchant à transmettre une tradition littéraire après l'avoir transformée. *Vendredi ou la Vie sauvage* est profondément intégré dans ce jeu de réécriture et de détournement.

La réécriture du mythe de Robinson

À l'origine, le *Robinson Crusoé* de Daniel Defoe, publié en 1719, s'inspire de l'histoire vraie d'un marin écossais, Alexander Selkirk, abandonné sur une île déserte de 1704 à 1709 pour s'être rebellé contre le capitaine de son navire. À son retour, le récit de sa survie déclenche un engouement retentissant dans toute la Grande-Bretagne. C'est alors que Daniel

Defoe réinvente l'histoire de Selkirk: son héros se nommera Robinson. Seul survivant d'un terrible naufrage, il passe vingt-huit ans sur «l'île du désespoir» où il sauve un jeune Indien dont il deviendra le maître et qu'il tentera de convertir à sa religion et à ses coutumes. Finalement secourus, les deux hommes regagneront la terre natale de Robinson.

Ce récit des aventures d'un naufragé sur une île déserte connaît un tel succès qu'il devient un genre littéraire à part entière: la robinsonnade. De nombreuses robinsonnades ont été écrites. Mais le récit de Michel Tournier est la version la plus originale car l'auteur a choisi de modifier profondément le mythe de Robinson. C'est Vendredi qui convertit Robinson à la vie sauvage et celle-ci triomphe lorsque le héros décide de rester pour toujours sur Speranza.

Repères chronologiques

1918	**Fin de la Première Guerre mondiale.**
1924	Naissance à Paris de Michel Tournier.
1929	**Grave crise économique.**
1938	Jean-Paul Sartre, *La Nausée*.
1945	**Fin de la Seconde Guerre mondiale.**
1950	Marguerite Duras, *Un barrage contre le Pacifique*.
1951	Julien Gracq, *Le Rivage des Syrtes*.
1962	**Indépendance de l'Algérie.**
1967	Michel Tournier, *Vendredi ou les Limbes du Pacifique* (premier roman de l'auteur).
1968	**Émeutes ouvrières et étudiantes du mois de mai, en France.**
1970	Michel Tournier fonde, avec deux collaborateurs, le festival des Rencontres internationales de la photographie à Arles. Michel Tournier obtient le prix Goncourt pour *Le Roi des Aulnes*.
1971	Michel Tournier, *Vendredi ou la Vie sauvage*.
1978	Michel Tournier, *Le Coq de bruyère* contenant « La Fin de Robinson Crusoé ». J.M.G Le Clézio, *Mondo et autres histoires*.
1981	**Abolition de la peine de mort en France.**
1985	Tahar Ben Jelloun, *L'Enfant de sable*.
1987	Aimé Césaire, poète et homme politique martiniquais, prononce son *Discours sur la négritude.*
1989	**Chute du mur de Berlin.**
1991	**Abolition de l'Apartheid en Afrique du Sud.**
1996	Adaptation au cinéma du *Roi des Aulnes* par Volker Schlöndorff.
2011	Le musée du Quai Branly à Paris consacre une grande exposition aux arts d'outre-mer.

Les grands thèmes de l'œuvre

Un nouveau Robinson

Robinson et robinsonnades

Au XVIIIe siècle, Daniel Defoe raconte dans son roman *Robinson Crusoé* le destin du naufragé Robinson, qui vit seul sur une île déserte, puis en compagnie de Vendredi. Le récit de cette aventure extraordinaire remporte un immense succès et ouvre la voie à de nombreux romans qu'on appelle les « robinsonnades ».

La construction de ces récits progresse selon l'apparition de motifs traditionnels : le naufrage, l'exploration de l'île et l'exploitation de ses ressources, l'espoir d'être secouru, l'épreuve de la solitude, la crainte des menaces extérieures (nature sauvage ou humains hostiles), la rencontre avec autrui et le départ de l'île.

Avec *Vendredi ou les Limbes du Pacifique* et *Vendredi ou la Vie sauvage*, Michel Tournier propose une réécriture du récit de Defoe. Il imagine que la vie sur l'île métamorphose Robinson au point qu'il rejette sa propre civilisation et choisit de finir ses jours sur Speranza. Plus encore, l'écrivain inverse les rapports entre Robinson et Vendredi : celui-ci n'est plus le sauvage qu'il convient d'éduquer à la vie civilisée. L'Indien initie l'Anglais à une vie sauvage heureuse et simple.

Robinson et Vendredi, les héros du roman de Michel Tournier

Cette inversion des rapports pose la question de savoir qui est le véritable héros du roman. Le titre du roman semble apporter la réponse : c'est bien Vendredi et son mode de vie qui sont célébrés dans la version de Michel Tournier. Cependant, instituer la supériorité d'un personnage sur l'autre irait à contre-courant du message délivré par l'œuvre. Considérer Robinson comme un héros est légitime : il ouvre et ferme le récit, ce sont ses aventures qui nous sont rapportées et c'est un personnage qui réunit les qualités traditionnelles du héros d'un roman d'aventures : ingénieux, persévérant et courageux.

La personnalité de Vendredi modifie profondément la relation des personnages. Au début du roman, les deux hommes ont des rapports hiérarchiques : Robinson est le maître de Vendredi. Mais, au fil des jours, Robinson voit en Vendredi un compagnon. Les deux hommes vont alors devenir amis et complices. Vendredi initie Robinson à un mode de vie, et lui apprend à être en harmonie avec la nature. Jamais il ne donne des ordres à son ancien maître ; Robinson l'observe et l'imite.

Vendredi et Robinson deviennent des doubles, le roman comporte donc deux héros. Chacun doit son salut à l'autre : Robinson sauve la vie de Vendredi après la cérémonie sacrificielle des Araucans ; Vendredi sauve la vie de Robinson en lui rendant l'espoir et la liberté.

Initiation et apprentissage

S'initier à la vie sauvage

L'initiation de Robinson passe par une inévitable destruction : celle de toute trace de civilisation. L'explosion de la grotte marque alors le commencement de la vie sauvage. D'abord, Vendredi apprend à Robinson à lâcher prise. Les siestes quotidiennes s'opposent à leur précédente vie rythmée par le travail et le cycle du temps. Désormais, le temps s'arrête et les êtres s'abandonnent à la paresse. Par la suite, Vendredi apprend à Robinson à se passer du superflu (il cuisine sans instrument) et à reconsidérer l'acte gratuit. Fabriquer des flèches ne vaut alors que pour le plaisir de les voir voler : « Robinson finit par comprendre que Vendredi ne cherchait pas à obtenir des projectiles précis et puissants destinés à percer des oiseaux ou des lapins. Non, ce qu'il voulait, c'était que ces flèches volent le plus haut, le plus loin et le plus longtemps possible » (p. 91).

En s'initiant à la vie sauvage, Robinson adopte un nouveau regard sur le monde : le plaisir du jeu, la redécouverte des sens (le goût des associations culinaires incongrues), le détournement des objets et des mots (la poudre explosive, les portraits araucans) et la vertu du silence sont autant de possibles que Robinson découvre et finit par aimer.

Devenir soi-même

Cet apprentissage conduit Robinson à se métamorphoser. À l'initiative de Vendredi, il se réconcilie avec son corps : « Encouragé par Vendredi, il commença à s'exposer nu au soleil. D'abord il avait été tout recroquevillé, laid et honteux. Puis il s'était épanoui» (p. 89). L'évolution de Robinson se mesure à des initiatives qu'il n'aurait jamais songé à prendre auparavant. Par exemple, il tente de vaincre sa peur du vide: «Aussi chaque matin s'efforçait-il de monter dans un arbre pour s'aguerrir. Autrefois, il aurait trouvé cet exercice inutile et ridicule» (p. 125). Symboliquement, Robinson s'élève et ressort grandi de son expérience.

À la fin du roman, à l'aube, debout sur un piton rocheux, il domine le paysage en tenant la main de son nouveau compagnon. Robinson s'est épanoui, une nouvelle expérience commence pour lui en initiant Dimanche à la vie sauvage.

L'amitié

L'amitié passe par un renoncement aux préjugés. En observant Vendredi, Robinson découvre son ingéniosité et son talent. Il est contraint de reconnaître que la vie civilisée n'a rien à apporter à son compagnon sur Speranza mais qu'au contraire, c'est lui qui a tout à apprendre. Lors de la visite du *Whitebird*, Robinson se désole de découvrir la pratique de l'esclavage, lui qui vit fraternellement avec un Indien. Au contact de Vendredi, il comprend combien il est absurde d'instaurer une hiérarchie entre les hommes. Pour expier ses mauvais traitements, il se prête aux jeux de rôles inversés que lui propose son ami. Entre eux naît un grand respect où toute violence est évacuée; c'est pour cela qu'ils créent leurs doubles insensibles: «tout ce que les deux amis auraient pu se faire de mal [...] ils le faisaient à la copie de l'autre. Entre eux, ils n'avaient que des gentillesses» (p. 96). On pourrait penser que cette amitié prend fin avec le départ de Vendredi. Mais l'une des leçons de la vie sauvage est celle de la liberté: le dénouement du roman montre que nul n'appartient à personne.

Fenêtres sur...

 *Des ouvrages à lire*

Des récits de Michel Tournier

• **Michel Tournier, *Le Coq de bruyère* [1978], Gallimard, « Folio », 1980.**
Un recueil dans lequel on peut notamment lire « La fin de Robinson Crusoé » où Michel Tournier raconte ce que sont devenus Robinson et Vendredi après leur aventure insulaire.

• **Michel Tournier, *La Couleuvrine* [1994], Gallimard, « Folio junior », 2010.**
Dans ce récit, Michel Tournier nous transporte en pleine guerre de Cent Ans. Le raisonnable Faber et son fils Lucio voient leur château assiégé par les Anglais. À leur tête se trouve le commandant Exmoor. Lucio réussira-t-il, grâce à la mystérieuse couleuvrine, à vaincre ses ennemis ?

Des robinsonnades

• **Daniel Defoe, *Robinson Crusoé* [1719], trad. de l'anglais par Pétrus Borel, Gallimard, « Folio junior », 2008.**
À l'âge de dix-neuf ans, Robinson Crusoé prend la mer. Après une terrible tempête, il se retrouve seul rescapé sur une île déserte. Tout en organisant sa survie, il décide de se rendre maître de cette île, qu'il a surnommée « l'île du désespoir ». Ce n'est qu'au bout de vingt-cinq ans de vie solitaire que Robinson fait la rencontre d'un autre homme, un sauvage qu'il appelle

Vendredi. Ce roman de Defoe fonde la légende de Robinson et a inspiré tous les auteurs de robinsonnades.

• **Jules Verne, *L'Île mystérieuse* [1874], Omnibus, « Les romans des îles », 2010.**
Retenus prisonniers par l'armée sudiste pendant la guerre de Sécession, des hommes s'échappent en ballon dirigeable. Ils s'écrasent sur une île du Pacifique. Grâce à leur ingéniosité mais également à une aide mystérieuse, les naufragés échappent à de terribles dangers et vont de rencontres en révélations.

• **Robert Louis Stevenson, *L'Île au trésor* [1883], trad. de l'anglais par Jacques Papy, Belin-Gallimard, « Classico », 2013.**
Autre incontournable des robinsonnades, ce roman est aussi un récit de piraterie. Au XVIIIe siècle, Jim Hawkins, jeune garçon enthousiaste, prend la mer en quête d'un trésor enfoui sur une île déserte. D'amitiés en mutineries, le séjour sur l'île au trésor devient sanglant et impitoyable. Une aventure pleine de rebondissements.

• **William Golding, *Sa Majesté des Mouches* [1954], trad. de l'anglais par Lola Tranec, Belin-Gallimard, « Classico », 2008.**
Un groupe d'enfants a survécu à un accident d'avion et se retrouve livré à lui-même sur une île déserte. Sous le commandement de Ralph, les garçons tentent de recréer les codes de leur civilisation. Combien de temps la survie et l'entente sont-elles possibles ? La nature de l'île est-elle si accueillante ? Cette vie de liberté en apparence paradisiaque va peu à peu se transformer en enfer.

Des récits d'initiation

• **Jules Vallès, *L'Enfant* [1879], Gallimard, « Folioplus classiques », 2003.**
Dans ce récit d'inspiration autobiographique, le narrateur, Jacques Vingtras, raconte son enfance difficile. Un regard ironique et critique sur l'éducation des enfants au XIXe siècle.

• **Pierre Mac Orlan, *Les Clients du Bon Chien Jaune* [1926], Gallimard, « Folio junior », 2008.**
Louis-Marie Benic est un orphelin de quatorze ans. Il part à Brest pour retrouver un oncle inconnu, tenancier d'un cabaret nommé « Le Bon Chien

Jaune ». Le lieu est fréquenté par des pirates. Louis-Marie, ne résistant pas à l'attrait de l'aventure, s'embarque secrètement sur le Hollandais Volant. *Il découvre alors un monde cruel où la violence et la mort bouleverseront son destin.*

• J.M.G Le Clézio, *Mondo et trois autres histoires* [1978], Belin-Gallimard, « Classico », 2010.
Les héros de ces quatre histoires, épris de liberté, partent à la rencontre des autres et d'eux-mêmes, et nous font voyager à travers des contrées situées entre rêve et réalité. Un recueil de nouvelles empreint de poésie.

• Éric-Emmanuel Schmitt, *Monsieur Ibrahim et les Fleurs du Coran* [2001], Magnard, « Classiques et contemporains », 2004.
Une magnifique histoire d'amitié entre un jeune garçon juif abandonné par ses parents et un vieil épicier musulman. Au fil de leurs conversations, Moïse et monsieur Ibrahim vont se découvrir, renaître au monde et voyager. Un récit drôle et poignant où l'amour fait grandir.

Des films à voir

(Toutes les œuvres citées ci-dessous sont disponibles en DVD.)

• *Les Aventures de Robinson Crusoé*, Luis Buñuel, couleur, 1952.
Dans Les Aventures de Robinson Crusoé, *Luis Buñuel, cinéaste d'origine espagnole, met en scène la solitude du naufragé puis son amitié improbable avec l'indigène Vendredi. Le film retrace cette aventure insulaire jusqu'au départ des deux hommes grâce à l'arrivée de pirates.*

• *Robinson Crusoé*, George Miller, couleur, 1996.
Adaptation du roman de Daniel Defoe où Robinson s'aventure à explorer l'île déserte et sauve un jeune Indien qu'il appelle Vendredi. Une amitié profonde finit par lier les deux hommes qui espèrent réussir à s'échapper de l'île.

• *Seul au monde*, Robert Zemeckis, couleur, 2000.
Ce film retrace l'aventure d'un homme d'affaires dont l'avion s'écrase au-dessus du Pacifique. L'île, qu'il regagne grâce à un radeau de fortune, devient sa prison et son seul espoir de survie pendant quatre ans.

• *Into the Wild*, Sean Penn, couleur, 2007.
Encensé par la critique, le film de Sean Penn est inspiré d'une histoire vraie. Il montre la décision surprenante d'un jeune diplômé à l'avenir prometteur de se retirer du monde pour mener une existence solitaire au cœur de la nature sauvage de l'Alaska. Christopher trouvera-t-il la paix dans ces conditions extrêmes ?

♫ *Un disque à écouter*

• Michel Tournier, *Vendredi ou la Vie sauvage*, texte lu par l'auteur, Gallimard, « Écoutez lire », 2004.

@ *Des sites Internet à consulter*

Pour découvrir différentes illustrations de *Robinson Crusoé* de Daniel Defoe

• http://www.camden.rutgers.edu/Camden/Crusoe/Pages/Years.html
Un site en anglais qui recense des illustrations de 1719 à 1914 du roman de Daniel Defoe.

Pour lire d'autres robinsonnades

• http://les-robinsons.chez-alice.fr/robinsonnade/robinsonnadesbiblio.html
Sur ce site, découvrez la liste impressionnante des écrivains et des illustrateurs que le personnage de Robinson a inspirés. En cliquant sur l'onglet « Autres Robinson », vous pourrez voir quelques couvertures des livres dont il est le héros.

Dans la même collection

CLASSICOCOLLÈGE

14-18 Lettres d'écrivains (anthologie) (1)
Contes (Andersen, Aulnoy, Grimm, Perrault) (93)
Douze nouvelles contemporaines (anthologie) (119)
Fabliaux (94)
La Farce de maître Pathelin (75)
Gilgamesh (17)
Histoires de vampires (33)
Les Mille et Une Nuits: Aladin, Ali Baba, Sindbâd (156)
La Poésie engagée (anthologie) (31)
La Poésie lyrique (anthologie) (49)
Le Roman de Renart (50)
Les textes fondateurs (anthologie) (123)
Neuf nouvelles réalistes (anthologie) (125)
Jean Anouilh – *Le Bal des voleurs* (78)
Guillaume Apollinaire – *Calligrammes* (2)
Louis Aragon – *Le Collaborateur et autres nouvelles sur la guerre* (142)
Honoré de Balzac – *Le Colonel Chabert* (57)
René Barjavel – *Le Voyageur imprudent* (141)
James Matthew Barrie – *Peter Pan* (165)
Béroul – *Tristan et Iseut* (61)
Ray Bradbury – *Fahrenheit 451* (152)
Évelyne Brisou-Pellen – *Thésée, Ariane et le Minotaure* (158)
Albert Camus – *Le Malentendu* (114)
Lewis Carroll – *Alice au pays des merveilles* (53)
Driss Chraïbi – *La Civilisation, ma Mère!...* (79)
Arthur Conan Doyle – *Sherlock Holmes, Le Chien des Baskerville* (173)
Chrétien de Troyes – *Érec et Énide* (144)
Chrétien de Troyes – *Lancelot ou le Chevalier de la charrette* (109)
Chrétien de Troyes – *Yvain ou le Chevalier au lion* (3)
Jean Cocteau – *Antigone* (96)
Albert Cohen – *Le Livre de ma mère* (59)
Corneille – *Le Cid* (41)
Didier Daeninckx – *Meurtres pour mémoire* (4)
Dai Sijie – *Balzac et la Petite Tailleuse chinoise* (116)
Annie Ernaux – *La Place* (82)
Georges Feydeau – *Dormez, je le veux!* (76)
Gustave Flaubert – *Un cœur simple* (77)
Romain Gary – *La Vie devant soi* (113)
Théophile Gautier – *La Morte amoureuse et autres nouvelles fantastiques* (146)
Jean Giraudoux – *La guerre de Troie n'aura pas lieu* (127)

William Golding – *Sa Majesté des Mouches* (5)
Jacob et Wilhelm Grimm – *Contes* (73)
Homère – *L'Odyssée* (14)
Victor Hugo – *Claude Gueux* (6)
Victor Hugo – *Les Misérables* (110)
Joseph Kessel – *Le Lion* (38)
Joseph Kessel – *Une balle perdue* (167)
Rudyard Kipling – *Le Livre de la Jungle* (133)
Jean de La Fontaine – *Fables* (74)
J.M.G. Le Clézio – *Mondo et trois autres histoires* (34)
Mme Leprince de Beaumont – *La Belle et la Bête* (140)
Jack London – *L'Appel de la forêt* (30)
Guy de Maupassant – *Histoire vraie et autres nouvelles* (7)
Guy de Maupassant – *Le Horla* (54)
Guy de Maupassant – *Nouvelles réalistes* (97)
Prosper Mérimée, Théophile Gautier, Guy de Maupassant – *La Vénus d'Ille et autres nouvelles fantastiques* (136)
Marivaux – *L'Île des esclaves* (139)
Molière – *L'Avare* (51)
Molière – *Le Bourgeois gentilhomme* (62)
Molière – *Les Fourberies de Scapin* (9)
Molière – *George Dandin* (115)
Molière – *Le Malade imaginaire* (42)
Molière – *Le Médecin malgré lui* (13)
Molière – *Le Médecin volant et L'Amour médecin* (52)
Jean Molla – *Felicidad* (168)
Jean Molla – *Sobibor* (32)
Michael Morpurgo – *Cheval de guerre* (154)
Jean-Claude Mourlevat – *Terrienne* (159)
George Orwell – *La Ferme des animaux* (130)
George Orwell – *1984* (175)
Ovide – *Les Métamorphoses* (37)
Daniel Pennac – *Kamo et moi* (172)
Charles Perrault – *Contes* (15)
Edgar Allan Poe – *Trois nouvelles extraordinaires* (16)
Jules Romains – *Knock ou le Triomphe de la médecine* (10)
Edmond Rostand – *Cyrano de Bergerac* (58)
Antoine de Saint-Exupéry – *Lettre à un otage* (11)
William Shakespeare – *Roméo et Juliette* (70)
Sophocle – *Antigone* (81)
John Steinbeck – *Des souris et des hommes* (100)
Robert Louis Stevenson – *L'Étrange Cas du Dr Jekyll et de M. Hyde* (155)
Robert Louis Stevenson – *L'Île au Trésor* (95)
Jonathan Swift – *Gulliver. Voyage à Lilliput* (151)
Jean Tardieu – *Quatre courtes pièces* (63)

Michel Tournier – *Vendredi ou la Vie sauvage* (69)
Mark Twain – *Les Aventures de Tom Sawyer* (150)
Fred Uhlman – *L'Ami retrouvé* (80)
Paul Verlaine – *Romances sans paroles* (12)
Jules Verne – *Le Tour du monde en 80 jours* (166)
Voltaire – *Jeannot et Colin, Le Monde comme il va* (174)
Anne Wiazemsky – *Mon enfant de Berlin* (98)
Émile Zola – *Au Bonheur des Dames* (128)

CLASSICOLYCÉE

Des poèmes et des rêves (anthologie) (105)
Guillaume Apollinaire – *Alcools* (25)
Honoré de Balzac – *La Fille aux yeux d'or* (120)
Honoré de Balzac – *Le Colonel Chabert* (131)
Honoré de Balzac – *Le Père Goriot* (99)
Charles Baudelaire – *Les Fleurs du mal* (21)
Charles Baudelaire – *Le Spleen de Paris* (87)
Beaumarchais – *Le Barbier de Séville* (138)
Beaumarchais – *Le Mariage de Figaro* (65)
Ray Bradbury – *Fahrenheit 451* (66)
Albert Camus – *La Peste* (90)
Emmanuel Carrère – *L'Adversaire* (40)
Blaise Cendrars – *Prose du Transsibérien et autres poèmes* (147)
Corneille – *Le Cid* (129)
Corneille – *Médée* (84)
Dai Sijie – *Balzac et la Petite Tailleuse chinoise* (28)
Robert Desnos – *Corps et Biens* (132)
Denis Diderot – *Supplément au Voyage de Bougainville* (56)
Alexandre Dumas – *Pauline* (121)
Alexandre Dumas – *Antony* (177)
Marguerite Duras – *Le Ravissement de Lol V. Stein* (134)
Marguerite Duras – *Un barrage contre le Pacifique* (67)
Paul Éluard – *Capitale de la douleur* (91)
Annie Ernaux – *La Place* (35)
Élisabeth Filhol – *La Centrale* (112)
Francis Scott Fitzgerald – *Gatsby le magnifique* (104)
Gustave Flaubert – *Madame Bovary* (89)
François Garde – *Ce qu'il advint du sauvage blanc* (145)
Romain Gary – *La Vie devant soi* (29)
Romain Gary – *Les Cerfs-volants* (157)
Jean Genet – *Les Bonnes* (45)
Jean Giono – *Un roi sans divertissement* (118)

Olympe de Gouges – *Déclaration des droits de la femme et de la citoyenne* (179)
J.-Cl. Grumberg, Ph. Minyana, N. Renaude – *Trois pièces contemporaines* (24)
Victor Hugo – *Anthologie poétique* (124)
Victor Hugo – *Le Dernier Jour d'un condamné* (44)
Victor Hugo – *Les Contemplations* (livres I à IV) (163)
Victor Hugo – *Ruy Blas* (19)
Eugène Ionesco – *La Cantatrice chauve* (20)
Eugène Ionesco – *Le roi se meurt* (43)
Louise Labé – *Poésies* (176)
Laclos – *Les Liaisons dangereuses* (88)
Mme de Lafayette – *La Princesse de Clèves* (71)
Jean de La Bruyère – *Les Caractères* (livres V à X) (181)
Jean de La Bruyère – *Les Caractères* (livre XI) (182)
Jean de La Fontaine – *Fables* (livres VII à XI) (164)
Marivaux – *Les Fausses Confidences* (170)
Marivaux – *L'Île des esclaves* (36)
Marivaux – *Le Jeu de l'amour et du hasard* (55)
Guy de Maupassant – *Bel-Ami* (27)
Guy de Maupassant – *Pierre et Jean* (64)
Guy de Maupassant – *Une partie de campagne et autres nouvelles réalistes* (143)
Pierre Michon – *Vies minuscules* (180)
Patrick Modiano – *Dora Bruder* (169)
Molière – *Dom Juan* (26)
Molière – *L'École des femmes* (102)
Molière – *Les Femmes savantes* (149)
Molière – *Le Malade imaginaire* (171)
Molière – *Le Misanthrope* (122)
Molière – *Le Tartuffe* (48)
Montaigne – *Essais. Des Cannibales, Des coches* (161)
Montesquieu – *Lettres persanes* (103)
Alfred de Musset – *Lorenzaccio* (111)
Alfred de Musset – *On ne badine pas avec l'amour* (86)
George Orwell – *La Ferme des animaux* (106)
Pierre Péju – *La Petite Chartreuse* (92)
Charles Perrault – *Contes* (137)
Francis Ponge – *Le Parti pris des choses* (72)
Abbé Prévost – *Manon Lescaut* (23)
François Rabelais – *Gargantua* (183)
Racine – *Andromaque* (22)
Racine – *Bérénice* (60)
Racine – *Britannicus* (108)
Racine – *Phèdre* (39)
Arthur Rimbaud – *Œuvres poétiques* (68)
Tiago Rodrigues – *Bovary* (178)

Edmond Rostand – *Cyrano de Bergerac* (148)
Stendhal – *Le Rouge et le Noir* (160)
Paul Verlaine – *Poèmes saturniens* et *Fêtes galantes* (101)
Jules Verne – *Voyage au centre de la Terre* (162)
Voltaire – *Candide* (18)
Voltaire – *L'Ingénu* (85)
Voltaire – *Micromégas* (117)
Voltaire – *Traité sur la tolérance* (135)
Voltaire – *Zadig* (47)
Émile Zola – *La Fortune des Rougon* (46)
Émile Zola – *Nouvelles naturalistes* (83)
Émile Zola – *Thérèse Raquin* (107)

Cet ouvrage a été composé par Palimpseste à Chevreuse.
La pâte à papier utilisée pour la fabrication du papier de cet ouvrage provient de forêts certifiées et gérées durablement.
Imprimé en Espagne par Novoprint (Barcelone)
Dépôt légal : novembre 2011 – N° d'édition : 70115636-11/Septembre 2021

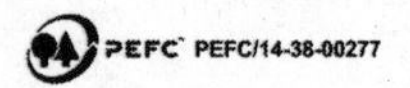